HOTEL DE WILDE ROOS

Anne Sietsma

Hotel De Wilde Roos

VCL serie

ISBN 978 90 5977 724 8
ISBN e-book 978 90 5977 727 9
NUR 344

© 2012 VCL-serie, Utrecht
Omslagontwerp: Bas Mazur

www.vclserie.nl

1

Sophie is verbaasd dat ze al bijna aan het eind van de rit is. Het dorp ligt voor haar. De molen rijst hoog boven de huizen uit. Drie wieken wijzen naar de blauwe lucht, een vierde naar de groene aarde. Ze herinnert zich hoe ze als kind liever dan wat ook, over die omloop wilde wandelen en naar alle richtingen kijken, de hele omgeving in zich opnemen. Zo vaak ze in de grote vakantie in het dorp kwamen, zeurde ze haar ouders aan het hoofd. Die begrepen haar verlangen niet.

'Daar komen geen mensen die er niks te maken hebben. Alleen de molenaar en zijn knecht lopen er, voor hun werk. Zullen we naar de speeltuin gaan?'

De schommels waren heerlijk, de klimrekken vroegen om heldendaden en op de wip had je altijd met het kind aan de andere zijde te maken. Maar 's avonds in bed droomde ze van de molen en hield ze in gedachten het witgeschilderde hek van de omloop vast. Jammer genoeg waren die vakanties zomaar voorbij. Ze logeerden meestal in het hotel aan de Brink.

Sophie rijdt langzaam het dorp in. Kleine, scheefstaande huizen zijn afgebroken, nieuwe zijn ervoor in de plaats gekomen. Ouderwetse gevels van obscure winkeltjes zijn vervangen door grote, uitnodigende puien met enorme etalageruiten. Daar tussendoor ziet ze toch veel bekends. Het doktershuis. De bescheiden kerk met zijn ronde koepel. En iets verder de Brink. Ze zet de auto stil en kijkt naar het hotel waar ze zo vaak op vakantie waren. Hoe oud was ze toen ze er voor 't laatst met haar ouders logeerde? Veertien, vijftien? Daarna ging ze met vriendinnen trekken langs jeugdherbergen. Of kamperen. In dit vriendelijke dorp is ze nooit meer terug geweest.

'Waarom niet?'

Het is of ze het haar moeder hoort vragen.

Ach ja, waarom wél? Er waren andere plaatsen die ze wilde ontdekken, samen met haar vriendinnen. En later waren er Brussel en Parijs.

Het is net of het dorp geduldig op haar heeft gewacht. Ben je er weer? Wees welkom.

Sophie start de auto. Morgen kom ik hier weer, belooft ze zichzelf. Nu eerst het hotel opzoeken dat Boukje me heeft aangeraden.

Aan de zuidkant rijdt ze het dorp uit. Bij de boswachterswoning slaat ze rechtsaf, en gaat een smalle klinkerweg op. Aan weerszijden staan eikenbomen. Op de stammen ziet ze lichte plekken zonlicht. De bermen staan vol kamille.

Op de wegsplitsing linksaf, staat er op de routebeschrijving. Het kan niet missen. Het bos gaat over in een weiland vol paardenbloemen links en een tuin vol rozenperken rechts. En daar is het huis. Een breed hoofdgebouw, drie verdiepingen hoog, met lagere zijvleugels. Aan de gevel is een bord bevestigd waarop met zwierige letters staat: 'Hotel De Wilde Roos'. De voordeur staat uitnodigend open.

Sophie zet haar auto vlak bij de voordeur en aarzelt even voor ze uitstapt. Als zij en Wilbert vroeger bij een hotel arriveerden, kwam er meteen een bediende aangerend die het portier voor hen opende en de koffers naar binnen droeg. Met een nonchalant gebaar overhandigde Wilbert dan de autosleutels, zodat de jongeman de slee veilig naar het parkeerterrein kon brengen. Sophie glimlacht. Wilberts auto vroeg eenvoudig om zo'n behandeling. Een vorstelijke wagen, waarin alleen maar heel belangrijke mensen vervoerd werden. Haar eigen bescheiden wagentje roept niet zo veel overdreven dienstbetoon op. Heel geruststellend.

Ze pakt haar handtas, sluit de auto af en wandelt naar binnen. Na het warme zonlicht is het in de grote hal weldadig koel. Links en rechts leiden brede trappen naar de eerste verdieping. Daar tussenin is de receptie. Er zit een jonge vrouw achter de balie. Haar smalle gezicht gaat bijna helemaal schuil achter een enorme bos koperkleurige krullen. Ze staat op, schuift met een vlug gebaar al dat haar naar achteren en geeft Sophie een hand.

'Welkom in De Wilde Roos. U hebt hier een kamer besproken?'

'Ja.'

De vrouw slaat een register open en loopt met haar wijsvinger langs de kolommen.

'U bent mevrouw…?'

'Van Groe... eh, mevrouw Koster.'
De receptioniste laat niets merken.
'Ja, hier staat het. Mevrouw Koster, kamer 18, eerste verdieping. Een rustige kamer, met uitzicht op de tuin aan de achterkant.'
'O, fijn.'
'Wilt u eerst iets drinken? Dan kan Lars intussen uw koffers naar boven brengen.'
'Heel graag.'
'Opzij van de voordeur is een zitje. Wilt u koffie of thee? Of fris misschien?'
'Koffie graag.'
Sophie laat zich voorzichtig neer in een gemakkelijke stoel.
Een slungelige jongen met een wilde, blonde haardos komt haar om de autosleutels vragen.
'Zal ik uw wagentje meteen wegzetten? De parkeerplaats is achter de bijgebouwen.'
'Prima.'
De receptioniste komt met de koffie. Ze ziet hoe de nieuwe gast enigszins onwennig rondkijkt. Mevrouw Koster heeft grote, grijsblauwe ogen, die iets melancholieks hebben. Het donkere haar heeft een scheiding in het midden, wat een ouderwetse, strenge indruk geeft. Onder de lange, rechte neus is een gevoelige mond.
'Had u een goede reis?'
'Ja, uitstekend. In de Randstad is het altijd druk op de wegen, maar hoe verder ik naar het oosten kwam, des te rustiger het werd.'
'Inderdaad. Veel mensen komen hier vanwege de rust. Hoewel, volgende week wordt het wel drukker. Want dan beginnen de schoolvakanties.'
Sophie knikt. Ja, dat is haar bekend.
'De lunch is tussen twaalf en twee. En het diner tussen halfzes en zeven. Alle informatie ligt trouwens op uw kamer. Er komen ook mensen van buiten bij ons in het restaurant eten. Wij kunnen uw eigen tafeltje voor u reserveren als u dat wilt.'
'Dat is misschien wel handig.'

Sophie kijkt naar het vriendelijke gezicht tegenover haar. Een aardige en behulpzame vrouw, met een natuurlijke vrijmoedigheid.

'Als u vragen hebt of iets nodig hebt, dan kunt u altijd bij mij terecht. Mijn naam is Jessica. Als ik er niet ben, zit mevrouw De Wilde meestal achter de balie. Zij en haar man zijn de eigenaars.'

Jessica loopt terug naar de balie. Sophie geniet van haar koffie. Die is prima. Als alles hier zo goed verzorgd is, dan houdt ze het wel vol.

Lars komt de autosleutels brengen.

'En hier is de sleutel van uw kamer. De lift is achter de trap.' Hij lacht ondeugend. 'Dat vergeet Jessica altijd te zeggen.'

'Gelukkig ben jij er.'

'Ja, Jessica mag wel blij met me zijn.'

'Mooi dametje,' zegt Lars als Sophie in de lift is verdwenen.

'Zo praten we niet over onze gasten,' zegt Jessica.

'Vind jij haar dan niet mooi?'

'Natuurlijk wel. Ze ziet er geweldig uit.'

Mevrouw Koster heeft indruk op haar gemaakt. Chique kleren, een stijlvol kapsel. Ze weet ook met personeel om te gaan. Bijna volmaakt, denkt Jessica. En toch doet ze een beetje aan een pop denken. Zo stijf, niet echt levend. Maar ja, wat heeft ze achter de rug? Een echtscheiding natuurlijk, als ze afgaat op die verspreking. Waarschijnlijk is hun nieuwe gast iemand die een brok verdriet meebrengt. Een verdrietige, mooie pop dus.

'Maar ik vind jou toch nog mooier,' vleit Lars.

'Dat weet ik, snijboon. Moet jij trouwens niet naar je tuin? Ik hoor het onkruid groeien.'

De kamer is smaakvol ingericht. Sophie ziet een bed tegen de ene muur, een bureautje tegen de andere. Bij het raam is een gezellig zitje. Vlak naast de deur is een grote kast. Daarnaast is een binnendeur. Die zal naar de aparte douche- en toiletgelegenheid gaan. Sophie loopt naar het raam en kijkt naar buiten. De tuin is een complete verrassing. Bloeiende borders, smalle tegelpaadjes, gazons en lage heesters. De kleuren zijn harmonieus. In de verte ziet ze een boomgaard. Volmaakt, denkt Sophie, vanmiddag ga ik die tuin verkennen. Alleen daarom al lijkt mijn bezoek de moeite waard. En verder? Zou Boukje gelijk hebben? Ze heeft zin om haar vriendin op te bellen. Het is gemakkelijk genoeg, op het bureautje staat een toestel. Maar ze besluit te wachten. Wat valt er te melden?

Sophie draait zich om en begint haar koffers uit te pakken. De grote kast is geduldig. Ze heeft veel kleren meegenomen, maar alles vindt gemakkelijk een plaats. Haar nachtpon legt ze onder het kussen en haar toiletspullen brengt ze naar de doucheruimte. Gewoontegetrouw kijkt ze in de spiegel. Ziet ze er nog onberispelijk uit na die lange rit? Zou Wilbert zijn goedkeuring aan haar uiterlijk geven? Wilbert… nog altijd ziet ze zijn kritische blik, hoort ze zijn vleiende stem: 'Je ziet er weer perfect uit, Sophie. Alleen moest je een andere kleur lipstick gebruiken bij deze japon.'

Sophie lacht schamper. Zou Wilbert tevreden zijn als hij haar zo zag? 'Dat is niet belangrijk meer. Wat vind je er zelf van?' vraagt Boukje haar de laatste tijd nogal eens.

'Ik vind het prima zo,' zegt ze tegen haar spiegelbeeld. 'En nu is het tijd voor de lunch.'

Ze vindt een plekje aan de zijmuur van het restaurant. Van hieraf kan ze de hele eetzaal overzien. Een serveerster komt vragen wat haar wensen zijn. Witbrood, bruinbrood, drinken…

Ze bestelt bijna gedachteloos. Alles is goed. Terwijl ze zit te eten, dwalen haar ogen door de zaal. Er zijn niet meer dan twintig gasten. Een hoogbejaard echtpaar. Een stel jonge meiden, die enorm veel plezier met elkaar hebben. En vlak daarbij twee dames die afkeurend kijken naar al die pret. Ze zijn bepaald niet naar de laatste mode gekleed en brengen hun geld ook niet naar de kapper, denkt Sophie. Zijn ze vergeten dat ze ook jong zijn geweest? Meteen schaamt ze zich. Zelf heeft ze geld genoeg om de duurste kleren te kopen en iedere week naar de kapper te gaan. Dat is niet altijd zo geweest. Toen ze pas de deur uit was en als verpleegster werkte in het ziekenhuis, had ze maar weinig te besteden. Toch probeerde ze altijd zodra ze haar uniform uittrok iets van haar uiterlijk te maken. Een fleurig sjaaltje, een simpele

ketting. Haar collega's waren weleens jaloers.
'Wat zie je er leuk uit. Hoe doe je dat toch?'
Wilbert had het ook ontdekt. Hij maakte werk van haar, zoals de collega's het noemden.

De dames verzamelen de laatste broodkruimels op hun vork en schuiven ze omzichtig tussen hun lippen. Die hebben armoede gekend, denkt Sophie. En zijn daar nog steeds niet aan ontsnapt. Geboeid kijkt ze toe hoe de bordjes tot op de laatste kruimel worden leeggemaakt. Het doet haar denken aan de musjes, die thuis op haar terras verschijnen en druk pikkend de restjes van haar broodmaaltijd tot zich nemen. Musjes, denkt ze, ze horen er helemaal bij.

Na de lunch zoekt ze de achteruitgang. Zo komt ze in de tuin terecht. Een rijkdom aan kleuren begroet haar. Ze wandelt langs een border met blauw en paars. Iets verder zijn geel en wit de hoofdkleuren. Alles is met zorg aangelegd. Een klein gazon wordt omgeven door heesters, waarvan sommige al zijn uitgebloeid. Tegen een oude schuur is een prieeltje gebouwd. Een klimroos rankt eromheen. Ze gaat zitten op het bankje en geniet. Beelden van vroeger komen boven. Eind jaren vijftig kocht Wilbert een huis aan de rand van Rotterdam. Een aardig huis, waar ze gelukkig is geweest. Norbert was een kleuter, hij had speelruimte nodig. Rondom het huis was een tuin. Op het grasveld kon hij zich uitleven. Maar de bloementuin was háár domein. Ze had tijd genoeg, want voor het huishouden had ze hulp, drie ochtenden in de week. Wilbert vond het niet nodig dat ze met een schort voor en een ragebol in de hand achter spinnen aanjoeg, zoals hij het uitdrukte. Als hij 's avonds thuiskwam wilde hij geen afgesloofde huisvrouw met piekhaar aantreffen, maar een opgewekte echtgenote, die een heerlijke maaltijd op tafel zette. Sophie hield van koken. Ze specialiseerde zich in de Franse keuken. Wilbert vond het prachtig, hij hield van deftig en verfijnd eten. Regelmatig nodigde hij zakenrelaties uit en dan pronkte hij met de 'haute cuisine' van zijn vrouw. Zelf koos hij de wijnen uit. Sophie kleedde zich altijd met zorg voor zo'n etentje, ze wist dat Wilbert dat verwachtte. Het was allemaal net echt.

Maar als Wilbert op zakenreis was, mocht Norbert vriendjes uitnodigen. Sophie bakte dan pannenkoeken. Vanuit de keuken keek ze naar hun spel. Norbert was de baas, de anderen accepteerden dat zonder moeite. Als ze uitgeravot waren, vielen ze aan op de pannenkoeken. Dat was pas helemaal echt.

Aan haar rechterhand ziet Sophie een fuchsiaperk. Diverse soorten groeien er bij elkaar. Witte met een donkerrood rokje, rode met een paars rokje, de Coralle met zijn langwerpige trompetjes. Zelf had ze ooit ook een fuchsiaperk. De planten vroegen veel aandacht. Maar ze vond het een uitdaging om er elke zomer weer iets moois van te maken. Tja, die tuin… Meer dan twintig jaar woonden ze daar.

Maar op een dag kwam Wilbert thuis.

'Ik heb een verrassing, Sophie.'

'Ik ben benieuwd.'

'Er staat een huis te koop in Hillegersberg. Zullen we daar eens gaan kijken?'

'Een huis? Hoezo?'

'Het is prachtig, dat zul je zien.'

'Maar we wonen hier toch goed?'

'Hmm, natuurlijk wonen we hier goed. Maar wel een beetje eenvoudig.'

'Wat bedoel je? De meeste mensen zouden zich in de handen knijpen als ze zo'n mooi huis hadden.'

'Ik heb iets beters op het oog. Kom maar eens mee. De makelaar komt om acht uur.'

Na het eten reden ze door de schemerige stad. Wilbert stopte in een duidelijk nieuwe straat waar diverse enorme huizen stonden, allemaal op hun eigen stukje grond en allemaal verschillend.

'Kijk, dat huis aan je rechterhand. En daar is de makelaar ook.'

Ze gingen een smeedijzeren hek door en liepen over een grijs tegelpad. De makelaar haalde de sleutels tevoorschijn en liet hen binnen in een ruime hal. Beneden waren drie kamers, zo groot dat je in ieder vertrek wel een schoolklas zou kunnen huisvesten.

'En hier is de keuken, vol met de modernste apparatuur,' zei de makelaar.

'Mooi,' vond Wilbert, 'mijn vrouw houdt van koken. En ze kan

11

het ook buitengewoon goed.'

Boven waren vier slaapkamers en twee badkamers. Sophie was verbijsterd. Zo veel ruimte voor twee mensen? Want Norbert woonde allang op zichzelf. Hij was afgestudeerd econoom. Al tijdens zijn studie hadden ze hem weinig gezien. Straks zou hij helemaal zijn eigen gang gaan.

'Ik ga vast naar beneden,' zei de makelaar, 'neemt u alle tijd en kijk op uw gemak rond.'

Sophie voelde zich verloren in het grote, lege huis. Maar toen ze naar buiten keek, zakte de moed haar helemaal in de schoenen. Twee garages met oprit, een smal terrasje, en voor de rest hoog opgeschoten coniferen, die de muren van de buurhuizen trachtten te verbergen. Tegelpaadjes onder de ramen. En verder niets. Geen hoekje tuin.

'Wat een geweldig huis, vind je niet?' vroeg Wilbert.

'Is het niet veel te groot?'

'Fijn toch, al die ruimte.'

'Hoor eens, Wilbert, ik hoef echt niet te verhuizen. Ik vind dat we heel plezierig wonen.'

'Daar hebben we het al over gehad. Dit huis past veel beter bij onze stand.'

Hoezo stand, dacht Sophie. Ben je ineens hoger omdat je toevallig erg rijk bent geworden? Dacht Wilbert dat hij met zijn geld alles kon kopen? Of wilde hij de wereld iets laten zien? Hier woont een man die succes heeft in zijn leven. Hier woont iemand waar jullie niet tegenop kunnen.

'Maar er is hier helemaal geen tuin,' protesteerde ze nog.

'Ach lieve kind, waarom zou je je mooie handjes iedere keer vuil maken? Al dat wroeten in de grond.'

'Je weet dat ik het graag doe.'

'Er zijn toch andere dingen die je kunt doen? Kies een leuke hobby. Schilderen, dat is ook creatief.'

Ze ging er niet verder op in. Want dan zou zijn welwillendheid omslaan in een kille woede, waar ze diep in haar hart bang voor was. Zwijgend liepen ze naar beneden, waar ze afscheid namen van de makelaar.

'U hoort van ons,' zei Wilbert.

De koop ging door. Wilbert liet de benedenverdieping inrichten door een binnenhuisarchitect. Toen alles klaar was, nam hij haar mee om het resultaat te bewonderen. Sophies adem stokte toen ze binnenkwam. De kilte sloeg haar tegemoet.

'Prachtig,' zei ze.

Gelukkig kon ze op de bovenverdieping een eigen kamer betrekken. Daar kwamen al haar dierbare spullen te staan. Haar bureau en boekenkasten. Het kleine zitje. De dekenkist die nog uit haar ouderlijk huis was gekomen. Wilbert lachte om dat allegaartje. Om het verlies van de tuin enigszins goed te maken liet hij iedere zaterdag een enorm boeket bezorgen. Het is zijn manier om te zeggen dat hij van me houdt, dacht Sophie dan.

Gelukkig kwam Agnes, de huishoudelijke hulp, ook mee. Dat gaf iets vertrouwds.

Na een jaar was Sophie enigszins gewend aan de nieuwe woning. Ze ging vrijwilligerswerk doen in een verpleeghuis. Wilbert ging op in zijn werk en nodigde weer gasten uit. Sophie maakte veel werk van de diners. Ze probeerde nieuwe recepten uit en verfijnde haar kookkunst. Wilbert waardeerde dat. Soms nam hij een cadeautje voor haar mee. Een ring met een bergkristal, een hanger. Hij ging ook graag met haar uit eten, liefst in een luxe gelegenheid.

'Kun je weer nieuwe inspiratie opdoen.'

'Vind je dat ik dat nodig heb?'

'Beslist niet. Maar ik denk dat je het zelf ook aardig vindt.'

Wilbert wist altijd zo goed wat zij aardig vond. Ze sprak hem zelden tegen. Je kon net zo goed proberen tegen een waterval omhoog te klimmen.

En nu zit ze in de zomerse tuin van een vriendelijk hotel. De rozen geuren, bijen zoemen boven de borders en een paar vlinders lijken tikkertje te spelen. Wat heeft ze dit gemist!

Na de roerige maanden die achter haar liggen, is er een periode van stilte gekomen, waarin de dingen van vroeger zich weer aandienden. Gebeurtenissen waar ze liever niet meer aan terugdacht. In haar afgepaste leven met Wilbert was niet zo veel tijd om na te denken. Haar dagen werden gevuld met het zorgen voor het huis, het uitnodigen van gasten, tegenbezoeken brengen, de gang naar theater en concertzaal en de dure vakanties. Voor alles moest hun kleding in stijl zijn. De overgeschoten uren bracht ze door in het verpleeghuis.

Maar nu zijn de meeste van die dingen niet belangrijk meer. Ze kookt eenvoudige maaltijden voor zichzelf. Ze heeft kleding genoeg voor de eerste tien jaar. De zakenvrienden van Wilbert en hun echtgenotes houdt ze op afstand. Daar hebben de dames en heren alle begrip voor. Ze vinden het ook wel gemakkelijk.

Er is een leegte gekomen die haar in het begin angst aanjoeg. Maar de laatste weken vult die leegte zich steeds meer met beelden uit het verleden. Ze ziet zichzelf gebogen staan boven haar fuchsiatuin, zorgvuldig stekken nemend van de verschillende soorten, als een belofte voor de volgende zomer. Een tuin had alles te maken met leven, met groei en bloei. En plotseling moest ze er afscheid van nemen. Omdat Wilbert het zo besliste. Hij nam haar de grootste vreugde af die ze op dat moment kende. Het ergste was dat hij dat niet eens besefte.

Tranen lopen over haar wangen. Ondanks hun grote rijkdom heeft ze geleefd met gemis.

Lars schoffelt de rozentuin. Hij knipt uitgebloeide bloemen weg en spreekt de knoppen opgewekt toe: 'Ziezo, al het voedsel is nu voor jullie. En ruimte heb je weer genoeg. Doe je best.'

Hij legt zijn gereedschap in de kruiwagen boven op het onkruid en rijdt weg.

'Nog even langs de klimrozen in de achtertuin en dan heb ik wel een biertje verdiend.'

In het prieeltje zit mevrouw Koster. Ze veegt omstandig haar ogen droog met een wit zakdoekje. Lars zet zijn kruiwagen voorzichtig neer en krabt zich op zijn achterhoofd. De mooie dame zou het niet prettig vinden dat hij haar zo zag. Hij vist de snoeischaar uit zijn kruiwagen en loopt terug naar de rozentuin. Keurend wandelt hij langs de perken. Ten slotte knipt hij een zachtgele theeroos af. De bloembladeren staan op het punt zich open te vouwen.

'Rosa odorata,' mompelt hij, trots op zijn kennis.

Mevrouw Koster lijkt zich hersteld te hebben. Hij loopt naar haar toe en reikt haar de roos aan. Verrast kijkt ze op.

'Voor mij?'

'Voor u.'

'Wat aardig van je, Lars. Waaraan heb ik deze prachtige bloem te danken?'

'Ik dacht: u zult wel veel van rozen houden.'

'Dat heb je goed gedacht. Ben jij de tuinman?'

'Ja mevrouw. De hovenier en op zijn tijd de klussenman.'

'De tuin is schitterend. Je hebt er veel verstand van, zo te zien.'

'Dank u wel. Nu moet ik weer aan het werk.'

Sophie bekijkt de roos. Hij is volmaakt. En er komt een verrukkelijke geur vanaf. Wat een bijzonder gebaar van Lars. 'U houdt van rozen.' Hij heeft het geraden. En ook hardop durven zeggen. Terwijl Wilbert in al die veertig jaar nooit heeft kunnen begrijpen hoeveel ze van bloemen houdt. Gewoon om de bloemen zelf en niet alleen omdat ze het huis meer cachet gaven.

Sophie draait de roos langzaam rond op zijn steel. Wat een vreugde, die éne bloem. Op haar gemak wandelt ze het hotel binnen. Boven vult ze het glas uit de doucheruimte met water en zet de roos erin. Het geheel krijgt een plaatsje op het tafeltje bij het raam.

's Avonds belt ze toch naar haar vriendin, die zelf opneemt.

'Met mevrouw Tadema.'

'Met mevrouw Koster.'

'Met wíe?'

'Dag Boukje.'

'O, nou hoor ik het. Sophie. Ik ben nog niet gewend aan je nieuwe naam. Hoe is het daar?'

'Prima. Een goed hotel. Mooie omgeving.'

'Lekker rustig, denk ik.'

'Een verademing.'

'Hoe was de reis?'

'Dat ging heel vlot.'

'Je hebt vast weer te hard gereden.'

'Nou ja, dat wagentje van me wil altijd inhalen.'

'Ben je er zelf ook nog bij?'

'Helemaal.'

'Hoe is het eten?'

'Heel verzorgd. Hoewel… het diner vanavond was niet om over te roemen.'

'Hoezo? Te veel zout in de soep?'

'Dat ook, ja. Hoe raad je het. Maar verder was het tamelijk onaf. Alsof er een heel nonchalante kok aan het werk was geweest. De finesse ontbrak. De verkeerde kruiden, de groente te lang gekookt. Vergeef het me maar, Boukje, ik ben erg verwend in dit opzicht.'

'Je hebt een uitstekende smaak. Daar zijn Rieuwert en ik al jaren van overtuigd.'

'Dank je.'

'Hoe zijn de andere gasten?'

'Ik ga niet roddelen.'

'Dat siert je.'

'Weet je, Boukje, ik heb vandaag een verovering gemaakt.'

'Gefeliciteerd. Wie is de geluksvogel?'

'De tuinman.'

'Aha. Jullie hebben dezelfde bevlogenheid. Is hij aardig?'

'Ja. Een grappenmaker.'

Sophie grinnikt zachtjes.

'Hij gaf me een beeldschone roos uit zijn rozentuin.'

'Oei! Een roos betekent veel op het gebied van de liefde. Hoe oud is hij?'

'Dichter bij de twintig dan bij de dertig.'

'Je kon zijn oma wel zijn.'

'Was dat maar waar.'

'O, dat was een domme opmerking van me.'

'Geeft niet.'

'Trouwens, zijn de Arnhemse meisjes al gearriveerd?'

'Nog niet. Ik vind het wel spannend.'

'Je hebt niets te verliezen'

'Nee, dat is zo. Ik ga weer eens ophangen, Boukje. Ik ga vroeg naar bed.'

'Slaap lekker. En ik reken iedere dag op een nieuwsbulletin.'

16

Sophie glimlacht. Wat een vriendin. Ze kennen elkaar al bijna twintig jaar. Rieuwert en zij kwamen regelmatig bridgen. De beide mannen mochten elkaar wel. Ze hadden vooral een zakelijke band. Rieuwert was als notaris aanwezig bij transacties en adviseerde een enkele keer. Sophie bemoeide zich nooit met die papierwinkel, zoals zij het noemde. Ze had totaal geen verstand van geldzaken.

'Ik verdien het,' zei Wilbert weleens, 'zorg jij nou maar dat het uitgegeven wordt.'

Met Boukje kreeg ze een hechte band. Rieuwert en zij waren tot hun grote verdriet kinderloos. En uit het leven van Sophie was Norbert volledig verdwenen. De twee vrouwen kenden elkaars verdriet, dat nooit ver weg was, maar waar ze zelden over spraken.

Het laatste halfjaar zijn Boukje en Rieuwert een enorme steun voor Sophie geweest. Plotseling overleed Wilbert, vlak voor Kerstmis. Een sterke, gezonde man in zijn zestiger jaren. Sophie was totaal ontreddert. Wilbert had altijd de leiding gehad, hij nam alle belangrijke beslissingen, vaak zonder haar erin te kennen. En plotseling stond ze er alleen voor. In een paar dagen tijd moesten er zo veel maatregelen getroffen worden. De Tadema's hielpen haar bij alles. De begrafenis moest geregeld worden, mensen op de hoogte gebracht. Condoleances stroomden binnen. Sophie herinnert zich die chaotische dagen waarin ze zich soms voelde als iemand die op een druk station loopt en midden tussen al die gehaaste mensen haar weg zoekt. Vroeger wees Wilbert die weg. Zij liep wel achter hem aan en het kwam altijd goed. Wilbert betekende ook een stuk veiligheid. Nu moest ze zelf beslissingen nemen en dat was onwennig, soms zelfs beangstigend.

Enkele weken na de begrafenis nodigde Rieuwert haar uit op zijn kantoor, om het testament te openen. Een deel van Wilberts bezittingen ging naar Norbert. Het meeste kreeg Sophie. Rieuwert las voor: 'Aan mijn geliefde vrouw, Sophia van Groenendael, geboren Koster, vermaak ik...'

Er volgde een opsomming van dingen waar Sophie totaal geen

verstand van had. Effecten, aandelen, obligaties. Bij elkaar een enorm vermogen. Geschrokken keek ze Rieuwert aan. 'Zo veel geld? Wat moet ik daarmee? Ik heb helemaal geen verstand van die dingen.'

'Als je het goedvindt, dan adviseer ik je.'

'Natuurlijk. Alsjeblieft.'

Toen Sophie weer thuis was, zat ze in de keuken met een kop sterke koffie voor zich. Wat een rijkdommen. Het voelde als een last. Gelukkig was Rieuwert er.

Sophie gaat nog een poosje naar beneden. Het is te vroeg om nu al naar bed te gaan. In de kleine zaal staat de televisie aan. Een paar mensen kijken naar de actualiteitenrubriek. Even kijkt Sophie mee. Tsjernobyl, de ramp met de kerncentrale blijkt veel ernstiger dan de Russen eerst wilden toegeven. Nee, daar heeft ze geen zin in. Op dit moment heeft ze genoeg aan haar eigen vragen. Ze loopt door naar de grote zaal en ziet dat daar de deuren naar het terras openstaan. Een goed idee, nog even naar buiten! Thuis kan dat niet. Er is geen ruimte bij het huis waar ze een gezellig zitje kan arrangeren. En om nou zomaar op de oprit naar de garage te gaan zitten…

Een vrouw van een jaar of veertig komt haar bestelling opnemen en zet even later het dienblad met de koffie op een tafeltje neer.

'U bent hier vanmorgen gearriveerd. Welkom.' Ze steekt een hand uit. 'Ik ben mevrouw De Wilde.'

Aha, denkt Sophie, de vrouw van de eigenaar.

'Mevrouw Koster,' stelt ze zich voor. Het went al.

'Is de kamer naar uw zin?'

'Uitstekend.'

'Ik hoop dat u hier fijne weken hebt.'

'Dank u.'

Sophie kijkt haar na, zoals ze langs de tafeltjes loopt en hier en daar een praatje maakt. Een gastvrouw. Zoiets had je niet in de deftige buitenlandse hotels waar ze met Wilbert kwam. Daar werden ze bediend door obers met keurige manieren. Soms deden ze haar aan marionetten denken.

Sophie moppert op zichzelf. Waarom zit ze zo te vergelijken? Vroeger en nu. Vroeger samen met Wilbert en nu alleen. Vroeger een chic hotel en nu een familiehotel. Het is verwarrend. Verlangt ze terug naar vroeger? Nee. Mist ze Wilbert? Soms heel erg. Maar op andere momenten kruipt er een soort opluchting tussen al die verwarrende gevoelens door. Iets wat ze aan niemand zou durven bekennen.

Het wordt frisser. De meeste mensen gaan naar binnen. Sophie besluit naar haar kamer te gaan. Daar staat ze nog een poos te kijken bij het halfopen raam. De dag wil maar geen afscheid nemen. In de schemering ziet ze duidelijk de tuin, de bijzonder gesnoeide buxusboom, het schuurtje. Boven de boomgaarden staat een heldere, eenzame ster. De roos op haar tafeltje geurt verleidelijk.

Als ze in bed ligt, komen de beelden van die dag weer naar haar toe. De reis, het dorp. Het hotel en de tuin met zijn bloemenweelde, die zo veel moeilijke herinneringen opriep.

Ergens buiten klinken zachte fluittonen, afgewisseld met een paar trillertjes. Dan volgt een stijgende melodie. Sophie luistert verrukt. Een liefdesliedje. Is het een nachtegaal? Een stadsmens als zij kan de vogel niet thuisbrengen. Maar zo'n mooi, smeltend geluid, dat moet wel de beroemde nachtegaal zijn. Zingt die ook in juni? Ze heeft geen idee, maar luistert naar de verleidelijke klanken. Met een glimlach om haar mond valt ze in slaap.

2

Sophie is heel vroeg wakker. Buiten is het al licht. Ze luistert naar de vogels die hun ochtendlied zingen. Wat een verschil met haar huis in Rotterdam. Zingen de vogels daar ook zo in koor? Ze weet het niet eens. Mussen hoort ze daar wel. Maar al die andere muzikanten? Als ze terug is zal ze daar eens op letten.

Als ze terug is… Het idee staat haar tegen. Ze houdt niet van het grote, sfeerloze huis. Ze heeft er nooit van gehouden. Vreemd, dat Wilbert dat nooit heeft begrepen. Een huis moet naar haar idee een vriend zijn, die je welkom heet, je omarmt en bescherming biedt. Zoiets zou ze nooit tegen Wilbert durven zeggen. Hij zou haar in haar gezicht uitlachen en zeggen dat ze normaal moest doen.

Ze piekert over de moeizame relatie die er was. Wilbert en zij konden elkaar bereiken via een soort brug van wederzijdse dienstbetoning. Hij zorgde dat het haar in materiële zin aan niets ontbrak. En zij zorgde voor hem. Was dat liefde? Of was het een contract, waar ze allebei baat bij hadden?

Sophie denkt aan hun eerste ontmoeting, kort na de oorlog. Ze was nog geen twintig. Hij was zes jaar ouder. Een man van de wereld, die carrière maakte in het zakenleven. Ze keek tegen hem op. Ze kon niet begrijpen dat hij iets in haar zag, maar zijn aandacht streelde haar. Van het begin af aan nam hij het roer in handen. Hij wilde niet te lang wachten met trouwen. Dus trouwden ze al gauw.

Ze nam afscheid in het ziekenhuis.

'Je gaat wel snel,' zeiden de collega's. 'Is er soms haast bij?'

Ze lachte.

'Nee hoor. Maar Wilbert heeft een etage gevonden, en hij wil niet langer wachten.'

Na een jaar werd Norbert geboren. Sophie voelde zich gelukkig. Een man en een zoon! En twee jaar later een huis met een tuin erbij. Op dat moment begon ze te verlangen naar een tweede kind. Liefst een meisje. Er was ruimte genoeg. In hun huis en ook in haar hart. Voor Norbert zou het zeker goed zijn. Hij had hetzelfde stugge karakter als zijn vader. De hele wereld draaide om hemzelf. Hij werd niet graag gedwarsboomd. Sophie had zelf nooit broers of zussen gehad, tot haar grote spijt. Wel vriendinnetjes, die altijd welkom waren in het gastvrije huis van haar ouders.

Ze praatte er met Wilbert over.

'Een tweede kind? Alweer een zwangerschap?'

Alsof híj het kind moest dragen en de ongemakken ervan ondergaan. 'Op dit moment niet.'

Dus later wel, dacht Sophie, die allang had geleerd dat ze niet tegen hem in moest gaan. Want dat leverde meestal een aanval van woede op. Een kille, venijnige woede, waar ze bang voor was.

Daarom bleef ze dromen van een klein meisje dat graag bij haar op schoot zat en voorgelezen wilde worden. Een kind dat van bloemen hield en een krans van madeliefjes maakte. Later zouden ze samen giechelen over meidendingen en zouden ze meidengesprekken hebben.

Toen Norbert naar de kleuterschool ging, werd het wel heel stil in huis. Sophie sneed het onderwerp nog een keer aan. Wilbert haalde geërgerd zijn schouders op.

'Nog een kind? Ben je mal, de wereld is al vol genoeg.'

Ze liet het onderwerp rusten, maar bleef in stilte hopen. Tot ze, jaren later, bij hun huisarts kwam omdat ze zich niet goed voelde.

'De menstruatie blijft ook uit. Ben ik misschien zwanger?'

De arts bestudeerde de gegevens.

'Nee, zwanger bent u toch hopelijk niet. Uw man heeft zich een paar jaar geleden laten steriliseren.'

'Wát?' Sophie vloog overeind.

'Hij zei dat er geen kinderen meer gewenst werden. Had u dat niet samen overlegd?'

'Nee. En ik wilde wél kinderen.'

'Dan is de communicatie tussen u beiden duidelijk aan verbetering toe.'

Dat wist Sophie al jaren. Maar dat Wilbert deze beslissing had genomen zonder haar daarin te kennen, sloeg haar met verbijstering. Wat was dat voor man? Waarom overlegde hij het niet?

'U bent erg gespannen, en misschien ook oververmoeid,' zei de dokter. 'Bovendien vermoed ik dat u bloedarmoede hebt. Dat zullen we nakijken. Gaat u er eens een paar dagen tussenuit.'

Een droom viel aan scherven. Nooit meer een zacht geurend babylijfje om te koesteren. Nooit meer een kleuter die bij haar op schoot kroop, bedelend om een verhaaltje. Nooit meer een kind dat de wereld ontdekte.

Ze praatte er niet met Wilbert over. Want ze durfde hem haar pijn en teleurstelling niet te laten zien. Hij zou haar opnieuw afwijzen. Om zich te beschermen sloot ze zich innerlijk van hem af en leefde haar eigen leven. Hij merkte het niet eens.

Sophie wierp zich met al haar energie op haar tuin. Ze volgde cursussen, schafte boeken aan en werd lid van een tuinclub. Ze raakte goed bevriend met enkele leden en kreeg al spoedig de naam dat ze een deskundige was. Zelf glimlachte ze daarom. De tuin was voor haar een houvast. Een contact met leven, met groei en bloei. Maar ook dat nam Wilbert haar af.

Buiten het raam klinkt geruzie van een stel vogels. Die durven wel voor zichzelf op te komen, denkt Sophie. En ik lijk wel niet wijs om op deze prachtige morgen aan al die moeilijke dingen van vroeger te liggen denken. Het komt natuurlijk door de tuin. Die roept het oude verlangen wakker, het verlangen om te zaaien en te zien groeien.

Opeens weet ze heel zeker dat ze in de komende jaren weer een tuin wil hebben. Waar en hoe, dat wijst zich wel. Maar het idee alleen al vrolijkt haar helemaal op. In ieder geval wil ze niet in het grote huis in Hillegersberg blijven wonen. Met Rieuwert en Boukje heeft ze daar al eens over gepraat, kort nadat Wilbert was overleden.

'Wacht met beslissingen nemen tot alles enigszins tot rust is gekomen,' adviseerde Rieuwert. Hij zei niet: tot de rouw voorbij is. Want rouwen deed ze niet echt. En dat wisten de Tadema's. Maar haar leven stond wel op z'n kop. Nu heeft ze weer wat rust gevonden. Ze wil niet steeds aan vroeger denken, ze wil naar de toekomst kijken. En daarom wil ze dat grote huis verkopen, waar ze zichzelf steeds kwijt dreigt te raken. Al die kamers, al die herinneringen.

Ze staat op, neemt een douche en kleedt zich met zorg aan. In het restaurant is het nog rustig, ze is een van de eersten. Op haar tafeltje staat een bescheiden naambordje. Mevr. S. Koster. Ze geniet van haar ontbijt. En dan gaat ze naar de tuin.

Lars ziet haar staan met een aantekenboekje in haar hand, aandachtig kijkend naar een van zijn borders.

'Goedemorgen, mevrouw Koster.'

'Dag Lars, ik kijk naar deze mooie combinatie. Die overvloed aan damastbloemen. En achter dat wit al die statige riddersporen. Doen ze het ieder jaar zo goed?'

'Helaas niet. Maar nu doen ze extra hun best omdat u er bent.' Sophie lacht.

'Had je ze dat van tevoren verteld?'

'O nee, ze zien het vanzelf. Zodra er een fee in de tuin verschijnt, blozen de bloemen van plezier.'

'Zo is het wel goed. Heb je ooit een fee gezien met een aantekenboekje?'

'Ja, nu. Maakt u er studie van?'

Sophie is niet gewend dat personeel zo vrijmoedig is. Maar van deze jongeman kan ze het wel hebben. Het doet haar zelfs goed.

'Ik bedenk hoe ik mijn eigen tuin kan inrichten. En hier doe ik inspiratie op.'

'Uw tuin is vast volmaakt.'

'Ik zal je een geheim vertellen, Lars. Ik heb op dit moment helemaal geen tuin. Maar volgend jaar beslist wel. Nu droom ik erover hoe hij worden moet.'

'Een fee met een droomtuin dus.'

'Zo je wilt. Maar vertel me eens wat dit voor plant is.'

Sophie bukt zich en laat een wirwar aan takjes vol roze bloempjes door haar vingers gaan. Een brede rand groeit langs de border.

'Dat is een soort gipskruid, mevrouw. Een dwergvorm, en dan roze in plaats van wit.'

'Ach ja, nu zie ik het. Ik ken alleen die hoge, wilde soort met die witte bloemetjes. Prachtig, ter afwisseling.'

Lars werpt nog een verliefde blik op zijn border voor hij verdergaat. Sophie kijkt hem dankbaar na. Wat een speelsheid. En wat een liefde voor zijn tuin. Daarmee wordt hij een soort kameraad. Ze maakt een aantekening. Gipskruid, dwergvorm, roze.

's Middags gaat ze naar het dorp. Ze parkeert haar auto op de Brink en wandelt langs de bekende plekjes. In een achterafstraatje staat nog steeds het kabouterhuisje, zoals ze het vroeger noemde. Het heeft één verdieping en een dak als een paddenstoel. Haar vader vertelde haar verhaaltjes over de kabouter die daar woonde. Dat ventje was erg behulpzaam. Maar bij het zoeken naar oplossingen deed hij toch vaak domme dingen.

Sophie bekijkt het huisje aandachtig. Het moet al oud zijn, maar het is in goede staat. Zou het de vaders van nu ook inspireren? Haar moeder hield niet zo van die fantasieën, zij kende alleen maar het woord plicht. En daar leefde ze naar. Ze zorgde van de ochtend tot de avond. Voor haar man, voor haar dochter Sophie, voor het huis en de kleine moestuin. Niet zo verwonderlijk, denkt Sophie nu, in de jaren voor de oorlog moesten de mensen alle moeite doen om het hoofd boven water te houden. En tijdens de bezetting werd het steeds meer een kwestie van overleven. Haar moeder lachte zelden. En zingen deed ze ook niet, dat leek verkwisting.

Met datzelfde plichtsbesef ging Sophie de verpleging in. En een paar jaar later haar huwelijk met Wilbert. Waar zijn de fantasierijke verhalen van haar vader gebleven? Zijn grappen en zijn vrolijke lach? Waarom kregen die geen plek in haar leven? Gelukkig is er nu een jonge tuinman, die haar weer wakker schudt.

Bij het hotel op de Brink drinkt ze een kopje koffie. En dan gaat ze bij de molen kijken. Het is een flinke wandeling, maar ze geniet ervan. Zo te zien is de molen pas gerestaureerd. De wieken steken duidelijk af tegen een lucht met witte en grijze wolken. Over een grindweg kan ze vlak onder de molen komen. Daar leest ze de informatie op het bord. Molen De Hoop. Gebouwd in de jaren twintig. In functie tot kort na de oorlog. Daarna verval en ernstige beschadiging door een storm. Restauratie vanaf 1980.

Lieve help, denkt Sophie, het is net een mensenleven. Stevig gebouwd, beschadigd door de tand des tijds en door een storm. Toch weer hersteld. Molen De Hoop, een toepasselijke naam.

Er komt een man naast haar staan. Dun, grijs haar, klompen, een pijpje in zijn mond. Iemand van hier, geen toerist.

'Ja mevrouw, die oude molen van ons houdt het maar vol.'

'Ik zie het. Hij is prachtig gerestaureerd. Draait hij weleens?'

'Als de molenaar er is. Niet veel mensen kennen het vak nog.'

'Ik zou het graag een keer zien.'

'Bij de VVV hebben ze zo'n krantje. Daar staat het meestal wel in.'

'Ik ga erop af. Komt u hier uit de buurt?'

'Ik heb hier al z'n leven gewoond. Er is geen mooier plekje op aarde.'

Sophie knikt. Dat kan ze begrijpen. Even kijkt ze omhoog, naar de omloop. Zou deze man daar weleens over hebben gelopen? Waarom wilde zij dat als kind toch zo graag? Vanwege het vergezicht natuurlijk. Ze wilde zien wat de wereld naar alle kanten te bieden had. En nu wil ze dat opnieuw. Ze wil nog altijd op die omloop.

Terug bij de Brink koopt ze bij de VVV een wandelkaart van de omgeving. Het krantje is er pas volgende week weer. Ach ja, het is hier een dorp. Alles gaat gemoedelijk. Beter dan dat jachtige tempo van de stad.

Het diner is ook deze avond maar matig. Vreemd, denkt Sophie, verder is alles hier zo verzorgd. Het ontbijt, de lunch. Hebben ze hier een kok die zijn vak niet verstaat? Ze laat de helft van haar portie op haar bord liggen. De dienster komt bij haar tafeltje staan.

'Is het niet naar uw zin, mevrouw?'

'Het vlees is niet goed doorbakken.'

De dienster lijkt te schrikken.

'Zal ik een ander stukje voor u halen?'

'Nee, laat maar.'

Sophie kijkt het meisje na. Gaat ze nu de klacht melden in de keuken? Sophie heeft alweer spijt van haar opmerking. Ik had er niks van moeten zeggen, denkt ze, ik ben een oude, verwende zeurpot.

Als ze door de hal terugloopt, ziet ze dat er een nieuwe gast is aangekomen. Hij heeft donker haar tot op zijn kraag, een hangsnor en een baard van een halve week. Zijn corduroy jasje en zijn spijkerbroek zijn zo te zien nodig aan een wasbeurt toe. Naast hem staat een rugzak die betere tijden gekend heeft. De man lijkt regelrecht uit de rimboe te komen. De stem van mevrouw De Wilde klinkt geagiteerd.

'Jammer dat u niet besproken hebt. We hebben alleen nog een kamer zonder douche, met alleen een wasbak. Verder is alles vol.'

Sophie loopt vlug door. Ze is hier niet om gesprekken met andere gasten te horen. Als ze in de lift staat, denkt ze aan mevrouw De Wilde. Je moet als hotelhouder wel een duizendpoot zijn, en op de meest onverwachte gebeurtenissen inspelen. Deze man kon wel een zwerver zijn. Zouden de andere gasten geen aanstoot aan hem nemen? Het zal niet altijd meevallen om van het ene moment op het andere de juiste beslissingen te nemen.

Op het tafeltje bij het raam staat de roos te geuren. Hij is verder opengegaan. Sophie bewondert de delicate bloem. Dan pakt ze haar pen en de ansichtkaarten die ze gekocht heeft. Eerst maar eens aan Agnes schrijven. Wat is die een enorme steun voor haar geweest in het afgelopen halfjaar. Ze heeft veel meer gedaan dan je van een huishoudelijke hulp mag verwachten. Ook nu past ze op het lege huis, ze verzorgt de planten en sorteert de post. Als er bijzondere dingen bij zitten, zal ze Sophie bellen. Dat is Agnes wel toevertrouwd.

Als ik terug ben in Rotterdam zal ik Wilberts kleren gaan opruimen, denkt Sophie. En Agnes zal daar graag bij helpen.

Ze bekijkt de kaart die ze gekocht heeft. In een nevelig bos staat een hert met een enorm gewei. Dat zal Agnes mooi vinden. Ze kent herten alleen uit de dierentuin.

De volgende kaart is voor Boukje en Rieuwert. *Hier zie je de molen uit mijn kinderjaren*, schrijft Sophie. *Hij staat er nog steeds en ik hoop hem een dezer dagen te bezichtigen. Vooral die omloop lijkt me erg spannend. Hartelijke groet en wordt vervolgd.*

Zacht neuriënd gaat ze naar beneden, de kaarten in haar hand. Het was een mooie dag, en er zijn mensen aan wie ze dat kan vertellen, mensen die in haar avonturen geïnteresseerd zijn.

Er is niemand bij de balie. Maar de deur naar het kantoortje staat open en daaruit klinkt een veel te luide mannenstem.

'Hoe kon je die man hier toelaten? Je ziet toch zo dat hij niet tussen de andere gasten past!'

'Ssst, niet zo hard. Ik heb hem de achterste kamer gegeven. Moest ik hem dan wegsturen?'

'Natuurlijk, stom wijf dat je bent. Zo richt je de zaak te gronde!'

Sophie smijt de kaarten in de brievenbus die vlak bij de balie hangt en weet niet hoe gauw ze uit de hal moet verdwijnen. Haar hart bonst van narigheid. Ruzie, schelden, wat haat ze dat! Ze gaat naar het terras en zakt neer op een stoel bij het verste tafeltje.

'Koffie, mevrouw?'

'Graag.'

Ze roert minutenlang en is terug in een periode waar ze liefst nooit meer aan wil denken. Norbert had zijn studie economie afgerond. Na een halfjaar Amerika, om wat ervaring op te doen, kwam hij bij Wilbert in de zaak. Aan de ene kant heel logisch. Later, veel later zou hij immers de opvolger worden. Anderzijds was het een onverstandige zet. Twee onbuigzame karakters, twee mannen die totaal verschillende opvattingen hadden over zakendoen. Er volgden een paar moeizame jaren met voortdurend onenigheid en verwijten. Het moest wel fout gaan. Maar dat het zo heftig zou toegaan had Sophie niet verwacht. Norbert kwam op een avond langs om iets te bespreken. Wilbert was het niet met hem eens. Het werd een enorme ruzie. Beide mannen verloren hun zelfbeheersing. En zij, Sophie, zat erbij, verkrampt en niet in staat iets te zeggen om hen te kalmeren.

'Jij richt de zaak nog te gronde!' Ze hoort het Wilbert nog schreeuwen.

'Welnee, u doet de ene stomme zet na de andere.'

27

Ze was bang dat Wilbert zou ontploffen.

'Eruit!' schreeuwde hij, 'uit mijn huis en er nooit meer in.'

Bijna letterlijk werkte hij zijn zoon de deur uit.

Wilbert zocht een dure advocaat. Norbert deed hetzelfde. Het procederen begon. Wilbert was in die tijd niet te genieten. Sophie hield zich op de achtergrond. Ze durfde Norberts naam niet te noemen. Ze bestond voor Wilbert nauwelijks.

Uit mijn huis, had hij geroepen. Was het ook háár huis? Haar zoon?

Toen vader en zoon definitief uit elkaar waren, bespeurde ze een zekere voldoening bij Wilbert.

'Ik wil hem nooit meer zien.'

'Maar ik wel,' zei Sophie.

'Geen sprake van. Ik verbied je om ooit nog contact met hem op te nemen. Die jongen moet weten dat het definitief ten einde is.'

'Met jou dan. Maar het blijft mijn zoon.'

'Nee Sophie, hij is onze zoon niet meer.'

Ze zag dat hij zich weer begon op te winden. Nog even en zijn woede zou zich tegen haar keren. Iets wat ze vreesde. Daarom zweeg ze.

Eigenlijk miste ze Norbert niet eens zo erg. In zijn middelbareschooltijd was hij een norse, tegendraadse puber. Tijdens zijn studiejaren had ze hem niet vaak gezien. Een enkele keer zocht hij haar overdag op, als hij wist dat Wilbert niet thuis was. Soms bracht hij een cadeautje voor haar mee. Een dure parfum of een boek over Parijs. Maar zichzelf gaf hij niet prijs. Ze wist weinig van zijn leven als student. In zekere zin bleven ze vreemden voor elkaar. Wanneer ze vragen stelde over vrienden en vriendinnen wuifde hij die geërgerd weg.

De zakenvrienden van Wilbert wisten natuurlijk dat vader en zoon gebrouilleerd waren. Als ze kwamen dineren werd er nooit over Norbert gesproken. Maar een van de echtgenotes had kennelijk begrepen dat Sophie haar zoon ook nooit meer zag. Van haar hoorde Sophie nog weleens iets over Norbert, op momenten dat Wilbert buiten gehoorsafstand was. Zo kwam ze aan de weet dat Norbert in Arnhem was gaan wonen en daar snel carrière maakte. Twee jaar later hoorde ze uit dezelfde bron dat hij getrouwd was en in een groot huis in het noorden van de stad woonde, tegen de Veluwezoom aan. Daarvan was ze wekenlang ondersteboven. Niet bij het huwelijk van haar zoon te mogen zijn! Ze probeerde zich de bruiloft voor te stellen. Heel erg chic waarschijnlijk. Met veel vrienden. En ouders en familie van de kant van de bruid. Nee, de bruidegom had geen broers of zussen. En zijn ouders, daar kon je beter niet over praten. Sophie bedacht hoe de bruid eruit zou zien. Gekleed als een prinses. Juwelen en een ring met een diamant. Een beetje hooghartig waarschijnlijk. Mevrouw Van Groenendael junior. Sophie zucht. Waarom liep het allemaal zo verschrikkelijk fout? Het leven heeft haar eenzaam gemaakt.

De dienster komt bij haar tafeltje staan. Of mevrouw nog iets wil drinken. Ja, Sophie wil nog een koffie.

Ze peinst verder over haar zoon. Een paar jaar geleden is hij gescheiden. Het verbaast haar niet eens. Norbert was geen gemakkelijk mens om mee te leven. Nu woont hij in de Verenigde Staten, waar hij een belangrijk zakenman is. Sophie gelooft het onmiddellijk. Iemand met dezelfde instelling als Wilbert heeft een goede kans op succes.

En de vrouw die hij achterliet? Is ze verbitterd, boos? Heeft ze zelf op die scheiding aangedrongen? Vrouwen zijn tegenwoordig veel mondiger. Zijzelf is altijd bij Wilbert gebleven. Hij had ook zijn betere kanten. Vroeg waarheen ze met vakantie wilde, overlegde met haar welke concerten en theatervoorstellingen ze zouden bezoeken. Hij gaf haar daarin veel ruimte. Maar nooit was er van zijn kant warmte en betrokkenheid. Misschien kon hij dat niet eens geven, was hij van nature gevoelsarm.

Voorbij, Sophie, zegt ze tegen zichzelf. Laat je leven niet verzuren door al die moeilijke herinneringen.

Vanuit de schemerige tuin onder het terras komen heerlijke geuren. Opeens herinnert ze zich dat sommige planten tot de avond of de nacht wachten voor ze hun geuren verspreiden. Ze lacht even. Die planten wil ze ook in haar eigen tuin. Later, over niet al te lange tijd. Morgen gaat ze op onderzoek. Ze zal wachten tot de schemering en dan haar neus achterna gaan, gewapend met haar aantekenboekje.

Er steekt een windje op. Sophie staat op en gaat naar binnen. Morgen is het zondag. Ze neemt zich voor de dienst in het dorpskerkje bij te wonen. Zoals ze dat vroeger met haar ouders deed. Wilbert en zij gingen nooit naar de kerk.

Voor het ontbijt wandelt ze nog even door de tuin. Die blijkt veel groter te zijn dan ze aanvankelijk had gedacht. Achter een groep coniferen ligt een parkachtig gebied met voornamelijk heesters. En warempel ook een vijver. Een treurwilg hangt met zijn takken bijna in het water. Er drijven waterlelies. Sophie tuurt in het water en ziet gouden vissen heen en weer schieten.

Met een boog loopt ze terug. Vlak bij de keuken is een kruidentuin. Die wil ik later ook, denkt ze. Leuk, alles uitproberen.

Om tien uur zit ze in de dorpskerk. De predikant is een vrouw. Dat is even wennen. Verder doet alles haar aan vroeger denken, aan de zondagen dat ze hier tussen haar ouders zat en de orgelpijpen telde. Opnieuw verliest ze zich in mijmeringen.

's Middags maakt ze een wandeling. Achter het hotel ligt een bos, waar routes zijn uitgezet. Gekleurde paaltjes geven aan welke kant ze op moet. Het gebied is heuvelig. Ze merkt dat ze dat niet gewend is. Maar het maakt ook dat de wandeling vol verrassingen zit. Bochtige paden, vreemd gevormde dennenbomen. De weg gaat omhoog en opeens is ze bij een open plek. Beneden zich ziet ze een heideveld. Ze gaat op een bankje zitten en kijkt haar ogen uit. De hei wordt op veel plaatsen duidelijk verdrongen door allerlei grassen. Juist die afwisseling maakt het landschap boeiend. Kleine sparrenboompjes hebben ook hun plek veroverd. Vogeltjes schieten heen en weer. Er heerst een weldadige rust. Ze zou hier uren kunnen zitten. Maar het wordt haar niet gegund. Want opeens zijn er opgewonden stemmen.

'Nee maar, wat toevallig dat we u hier treffen. We zeiden zonet nog tegen elkaar dat het hier altijd zo rustig is.'

De twee musjes, denkt Sophie. Heb ik hun rust verstoord? Of is het juist andersom?

'Wij gaan hier altijd naartoe,' zegt de ander, 'het is ons eigen plekje.'

Ze komen naast Sophie zitten, die beleefd naar het randje van de bank opschuift. Ze schimpt innerlijk op zichzelf. Kijk, dat heb je nou altijd gedaan, Sophie. Opzij gaan om ruimte te maken voor een ander, die vindt dat deze plaats hem rechtens toekomt. Voor haarzelf schiet er een klein hoekje over.

'Bent u wel vaker in het hotel geweest?'

'Hoe bedoelt u?'

'In De Wilde Roos. Wij logeren daar elk jaar. Maar we hebben u nog niet eerder ontmoet.'

Aha, denkt Sophie, het is ook hun hotel.

'Ik ben hier voor het eerst,' zegt ze.

'En, hoe vindt u het?'

'Uitstekend.'

'Dat vinden wij ook. Geen enkel hotel kan tippen aan De Wilde Roos. Waar bent u dan eerder geweest?'

Sophie ergert zich mateloos. Het is wel duidelijk dat ieder ander hotel in het niet zal verdwijnen naast dat waar ze nu logeren. Ze denkt aan de dure onderkomens in Zwitserland, in Berlijn, Stockholm.

'Waar ik eerder was? O, op andere plaatsen.'

'Nou, zo goed als hier kan dat nooit geweest zijn. Wij vinden het personeel ook zo aardig. Ze doen alles voor je. Meneer De Wilde zelf haalt ons altijd van de trein, zodat we niet met de bus hoeven.'

Sophie knikt begrijpend. Tja, vaste gasten, daar moet je zuinig op zijn.

'Meneer De Wilde is zo'n charmante man. Hij noemt ons zijn speciale gasten.'

Het andere musje vult aan: 'En hij kookt ook zo lekker. Alleen op maandag heeft de familie De Wilde een vrije dag, dan komt er een kok uit het dorp. Maar die is niet half zo goed.'

Dat belooft wat, denkt Sophie.

'Woont u hier in de streek?' vraagt het eerste musje.

'Nee.'

'Waar woont u dan?'

'In het westen van het land.'

'In Den Haag soms? Daar hebben wij ook een kennis wonen.'

'Nee, niet in Den Haag.'

'O, waar dan?'

Sophie is ziedend. Straks vragen ze me nog welke kleur ondergoed ik draag, denkt ze. Abrupt komt ze overeind.

'Ik ga weer verder, want ik wil uw rust niet langer verstoren.'

Met boze stappen loopt ze over het pad langs de heide. Ze zullen me wel een kreng vinden, denkt ze. Maar wat een brutale vragen. Er stijgt een ongekende woede in haar omhoog. Die twee hebben zichzelf tot het centrum van de wereld gemaakt. En ieder ander mag daar omheen cirkelen en hun de ruimte geven die ze voor zichzelf opeisen. Het is een heel oude woede. Jarenlang heeft Wilbert haar ook zo behandeld. Wat hij wilde was alleen belangrijk. Zelf bestond ze nauwelijks. Echte belangstelling had hij nooit voor haar. Ze was alleen maar geschikt om zijn ego op te poetsen. Maar wie was ze zelf? Soms weet ze dat nauwelijks. De vrouw van Wilbert. Een verlengstuk.

Ze loopt zonder op de route te letten, gedreven door haar boosheid. Wilbert, wat heb je me vaak in een hoek gedrukt, platgewalst, de mond gesnoerd. Wat was ik onbelangrijk in jouw ogen. Ik mocht alleen maar bestaan als jouw schaduw.

Een uur lang banjert ze over smalle paadjes en rulle zandwegen. Gekleurde paaltjes ziet ze al lang niet meer. Dan staat ze stil. De vermoeidheid slaat toe. Het is tijd om terug te gaan naar het hotel. Ze kijkt om zich heen. Aan een echtpaar dat langskomt vraagt ze de weg.

'Hotel De Wilde Roos? O, daar bent u vlakbij. Daarginds, op de verharde weg, gaat u rechtsaf. En op de kruising rechtdoor. Het is in tien minuten te doen.'

Opmerkelijk, denkt Sophie, dan heb je het gevoel ver van huis te zijn en dan ben je er heel dichtbij. Je moet alleen de goede weg nemen, anders blijf je dwalen. Zou dat voor het echte leven ook zo zijn? Ze glimlacht even om haar filosofische gedachten.

Het hotel staat te stralen in de middagzon en lijkt haar welkom te heten. Ze gaat naar haar kamer om zich op te knappen en zit kort daarna op het terras met een kop thee. Allemensen, wat is ze moe. En leeg. Nu de woede om wat Wilbert haar heeft aangedaan enigszins is gezakt, komt er ruimte voor de pijn. Jarenlang zo gekleineerd te zijn, aan de kant geschoven. Natuurlijk heeft ze altijd geweten wat er gebeurde, het heeft haar iedere keer opnieuw bezeerd. Maar vandaag komt het verdriet in alle hevigheid over haar heen. Alsof er iets moet worden ingehaald.

Ze zoekt troost in de tuin. Rustig wandelt ze langs de borders. Het zonnekruid is al in bloei. De gele bloemen hebben zich naar de zon gekeerd. Kleine, blauwe vlambloemen staan eromheen. Hier heeft iedere groep planten zijn eigen plek om te bloeien. Toch weet Sophie best dat er woekerplanten zijn, die het liefst alle andere zouden verdringen. Ze heeft vaak genoeg de al te snelle groeiers teruggesnoeid en na de bloei gehalveerd. Zelf zorgde ze voor evenwicht in haar tuin. Zoals Lars dat hier doet. Evenwicht, harmonie, zodat alles tot zijn recht komt.

Bij een rozenboog staat ze stil en laat een trosje bloemen in haar hand rusten. Plotseling rollen dikke tranen over haar wangen. Ze zoekt een zakdoek en veegt ze weg. Wat valt er te huilen? Langzaam wandelt ze verder.

Er staat iemand bij een uitbundig rood en roze bloeiende border. Hij kijkt op. Het is de man die gisteren aankwam, degene over wie het echtpaar het zo oneens was. Sophie zou graag omkeren, maar zo onbeleefd wil ze toch niet zijn. Ze knikt hem toe: 'Goeiemiddag.'

Hij wijst naar de kleurige border.

'Bloemen zijn een groet uit het paradijs.'

Verrast kijkt ze hem aan. Hij ziet er vandaag beter verzorgd uit. Zijn kleren zijn schoon en hij heeft zich geschoren. Alleen die snor zou bijgewerkt moeten worden. Maar wat een uitspraak over de bloemen. Hij is duidelijk een liefhebber. Haar ogen gaan naar de border. Maar... het paradijs? Is dat niet wat overtrokken?

'Dat paradijs is dan wel verloren gegaan,' zegt ze.

Het lijkt of hij schrikt.

'Heeft het leven je zó teleurgesteld?'

Sophie haalt geërgerd haar schouders op. Wat een vrijpostige vraag van iemand die totaal vreemd is. Zou hij haar gezien hebben toen ze bij de rozenboog haar tranen stond te drogen? Daarom hoeft hij nog niet meteen zo familiair te doen.

'Ik heb alles wat mijn hart begeert,' zegt ze stijf.

Een hele poos is het stil. Sophie heeft zin om door te lopen. Ze kijkt opzij en ziet dat de man haar aandachtig opneemt.

'Misschien is juist je hart wel tekortgekomen.'

Dat is raak, beseft Sophie. Maar hoe weet die man dat? Kijkt hij dan dwars door haar heen met die koolzwarte ogen? Opeens beseft ze dat ook deze mens teleurstelling en verlies kent. Door zijn gezicht lopen diepe lijnen. Er is geen spoor van nieuwsgierigheid in zijn kijken. Er is heel iets anders, iets wat Sophie niet vaak heeft meegemaakt. Hij kijkt met mededogen. Hij begrijpt veel zonder iets van haar omstandigheden te weten.

'Naast mij staat iemand aan wie het leven ook niet zonder moeite is voorbijgegaan,' zegt ze.

'Dat klopt,' lacht hij. 'Maar wat ben ik vreselijk onbeleefd. Laat ik me eens voorstellen. Ik heet Robin Harper.'

'Sophie Koster.'

Een grote, sterke hand, die wel past bij deze ruige figuur.

'Sophie, mag ik je uitnodigen om samen met mij door deze fraaie tuin te wandelen?'

En nu is er opeens niets vreemds meer aan zijn gezelschap. Ze praten weinig, alleen valt er af en toe een opmerking over de bloemen, de kleuren, de combinatie met siergrassen en heesters.

Sophie neemt hem mee naar het parkgedeelte achter de coniferenhaag. Hij is onder de indruk.

'Wat een mooi ontwerp. Kijk eens hoe dat pad zich buigt naar de vijver.'

Ze lopen tot vlak bij het water. Robin tuurt in de vijver.

'Hier moet nodig iets aan gedaan worden,' zegt hij. 'Zo te zien hebben die waterplanten jarenlang hun gang kunnen gaan.'

'Ben je hovenier van je vak?'

'Tuinarchitect. Ik maak ontwerpen. Andere mensen doen de invulling. Iemand zoals jij bijvoorbeeld.'

Ze lacht. 'Ik ben amateur. Maar waar speelt jouw werk zich eigenlijk af? Ik denk niet dat veel huizenbezitters een tuinarchitect zullen inschakelen.'

'Dat valt nog best mee. Maar meestal zijn het grotere projecten. De afgelopen vijftien jaar heb ik in Engeland gewoond. Daar worden grote landhuizen gerestaureerd en vaak is daarna de tuin aan de beurt. Zoiets duurt jaren.'

'Je naam klinkt ook Engels.'

'Mijn vader is een Brit, mijn moeder Nederlandse.'

'En wat brengt je nu terug naar hier?'

'Drie kilometer hiervandaan is een kleine havezate gerestaureerd. En nu zoeken ze iemand die de tuin kan aanpakken. Ik moet erheen om de boel te bekijken en een plan op te stellen. Daarna kunnen we over een definitief contract praten.'

'Wat houdt zo'n plan in?'

'Het is heel divers. Ik maak eerst een plattegrond van de huidige situatie. Daarop geef ik aan wat behouden moet blijven. Zoals een mooie boomgroep, een oude laan. Verder is het belangrijk wat er groeit, daaraan kun je zien hoe de grond daar is. Ik bekijk waar de zonnigste plekken zijn en of bijvoorbeeld een vijver gewenst is. Ook moet ik weten waar onder de grond alle leidingen, kabels en buizen liggen. Want daar kun je natuurlijk geen bomen boven planten. En ten slotte moet ik weten wat de verlangens van de eigenaar zijn.'

'Wie is dat?'

'Een internationaal bedrijf, dat in het huis een kantoor heeft, maar ook een representatieve ontvangstruimte. Er is een beheerder die de zaak vertegenwoordigt. Ik noem hem in gedachten heer Diederik.'

'Weet je zijn echte naam niet?'

'O, die staat wel in de papieren die ik kreeg toegestuurd. Morgen heb ik een afspraak, dan ga ik op onderzoek.'

Sophie zou dat weleens mee willen maken, maar ze durft het niet te zeggen. Ze kijkt op haar horloge.

'Zullen we eerst maar eens gaan dineren, voor we te laat komen?'

Het lijkt volkomen logisch dat ze bij elkaar aan tafel gaan zitten. Onder het eten praten ze af en toe over hun gemeenschappelijke liefde. Sophie doet of ze de verwonderde blikken van de andere gasten niet opmerkt.

3

Boukje Tadema zit in de tuinkamer aan haar bureau. Ze schrijft een condoleancebrief. Een kennis is overleden. Dat overkomt haar en Rieuwert de laatste jaren steeds vaker. De mensen om hen heen worden ouder, het leven is eindig. Veel minder vaak krijgen ze geboortekaartjes. Even heeft Boukje de neiging daar somber van te worden. Maar dan roept ze zichzelf terug naar de werkelijkheid. Het is de natuurlijke gang van zaken. En ze mag tevreden zijn. Zij en Rieuwert zijn nog goed gezond, ook al lopen ze tegen de zeventig. Ze hebben mooie jaren gehad samen, met veel lief en weinig leed. Voor de toekomst zijn er nog heel wat plannen en dromen.

Ze hoort dat er een stapel post door de brievenbus komt. In die grote hal met zijn marmeren vloer klinkt alles door. Boukje staat op. De condoleancebrief kan wachten, in de hal liggen berichten uit het land der levenden. Met een dikke stapel in haar hand komt ze terug in de tuinkamer. Ze nestelt zich op de bank, altijd weer nieuwsgierig. Zeker de helft is voor Rieuwert. Brieven die met zijn werk te maken hebben. Berichten van de schaakclub. Bankafschrijvingen. Ook dat is Rieuwerts afdeling. Boukje vindt het prima dat hij alle bankzaken regelt. Toch heeft ze in het afgelopen voorjaar gevraagd of Rieuwert haar er wegwijs in wilde maken. Voor het geval… Ze heeft bij Sophie gezien hoe lastig het is wanneer je plotseling alleen komt te staan en in een doolhof van financiële beslommeringen belandt. Iets wat je op zo'n moment beslist niet kunt gebruiken. Rieuwert heeft voor een aantal zaken een collega van het notariskantoor gemachtigd. Verder heeft hij de belangrijkste dingen op papier gezet en haar gewezen waar alle documenten liggen. Daarna hebben ze samen een glas wijn gedronken.

'Op het leven,' zei Boukje.

'En op mijn lieve, verstandige vrouw,' zei Rieuwert.

Boukje glimlacht. Rieuwert heeft nog steeds geen afscheid genomen van zijn werk. Hij neemt geen nieuwe zaken aan, maar blijft wel de belangen van zijn oude cliënten behartigen. Hij geniet ook van het contact met zijn collega's. Boukje is blij met deze gang van zaken. Het zou niet goed zijn als hij van de ene dag op de andere zou stoppen met de bezigheden die hij heel zijn leven zo van harte heeft verricht.

Tussen de post ligt een ansichtkaart van Sophie. Een molen, die triomfantelijk boven huizen en geboomte uitsteekt. Ze leest hem en is blij met haar vriendin. Het verblijf daarginds doet haar kennelijk goed. Een andere ansichtkaart komt uit Arnhem. Hij is van Jan en Hilde, haar zus. Maaike, hun zevenjarige dochter, heeft hem geschreven. 'Lieve oom Rieuwert en tante Boukje, we zijn naar het Openluchtmuseum geweest.' Daarmee is de kaart ook vol. Hilde heeft het adres erop gezet. Boukje geeft de kaart een mooi plekje op de schouw. Een groet vanuit Arnhem, een groet van haar nichtje met wie ze zo'n bijzondere band heeft. Maaike is ook dol op haar oom en tante in Rotterdam. Ze logeert regelmatig bij hen. Dat is altijd groot feest voor allemaal. Meestal gaat Rieuwert haar ophalen. Dan heeft zij, Boukje, de handen vrij om alles klaar te maken en de inkopen te doen. Want natuurlijk komen Maaikes lievelingskostjes op tafel. Appelschotel met bitterkoekjes. En samen bakken ze dûmkes, koekjes met anijs erin.

'Je verwent haar,' lacht Hilde weleens.

'Welnee, ik leer haar de Friese keuken,' verdedigt Boukje zich dan. 'Bovendien zijn al die mannen bij jou thuis best blij als Maaike met een zak vol dûmkes thuiskomt.'

'O ja, ze hebben het liefst een wagonlading van die dingen.'

Boukje is tot haar achttiende enig kind geweest. Toen kwam als een grote verrassing Hilde erbij. Iedereen was gelukkig met haar komst. Omdat haar moeder niet altijd fit was, nam Boukje vaak de zorg voor de baby over. Toen een jaar later de oorlog uitbrak, werd dat er niet minder op. Naarmate de bezetting duurde werd het steeds moeilijker om aan eten en kleren te komen. Boukje droeg haar steentje bij.

Na de bevrijding werd alles anders. Boukje werd secretaresse. Ze leerde Rieuwert kennen, die tijdens zijn onderduikperiode verdergegaan was met zijn rechtenstudie. Zijn examens deed hij een jaar na de bevrijding. Ze verloofden zich en niet lang daarna had Rieuwert werk en konden ze trouwen.

Hilde ging naar de lagere school. Ze leerde makkelijk en had altijd veel vriendinnetjes. Vaak kwam ze bij haar grote zus Boukje logeren. Rieuwert was als een oudere broer voor haar. Hij leerde haar schaken, wat ze geweldig interessant vond. Hij struinde met haar door de duinen. 's Zomers gingen ze met z'n drieën naar het strand.

'Jammer dat jullie geen kinderen hebben,' zei Hilde op een avond.

'O, maar dat kan best nog komen,' zei Rieuwert.

Het waren dezelfde woorden waarmee hij Boukje troostte, als die zich weer eens zorgen maakte omdat het zo lang duurde voor ze zwanger werd.

'Ik wil later een heleboel kinderen,' zei Hilde, 'het hele huis vol.'

'Goed idee,' vond Rieuwert. 'Heb je al een vader uitgezocht?'

'Natuurlijk niet, malle.'

Boukje keek vertederd naar het pittige meisje met haar parmantige blonde vlechtjes. Ze zag het al voor zich. Een volwassen Hilde met een grote kinderschare om zich heen.

Het duurde nog twintig jaar. Toen trouwde Hilde met haar Jan, die een goede baan had op het Provinciehuis in Arnhem. Het was een vrolijke bruiloft met veel gasten. Het jonge stel ging wonen in Arnhem-Zuid.

'Kom gauw langs,' zei Hilde tegen Boukje. 'Van Rotterdam naar Arnhem is niet zo ver. En die mannen doen toch niet veel anders dan werken.'

'Klopt,' zei Boukje.

Ruim een jaar later wandelden de zussen samen langs de rivier. Er stond een bankje waarop ze een tijdje uitrustten. Een tanker voer stroomopwaarts, de boeggolven waaierden uit over het water. Aan de oever stonden wilgen in bloei. Vogels scharrelden eronder, op zoek naar voedsel.

'Ik moet je iets vertellen,' zei Hilde, 'maar ik vind het niet zo makkelijk. Ik ben in verwachting.'

Even voelde Boukje een felle, bijna lichamelijke pijn. Toen keek ze haar zus aan.

'Wat geweldig, Hilde.'

'Je bent de eerste die het weet.'

38

Een soort erepositie, wist Boukje. Ouders aan wie ze dit grote nieuws konden vertellen waren er niet meer.

'Ik was bang dat je het moeilijk zou vinden,' zei Hilde.

'Ik ben vooral heel blij voor je. Voor jullie. Wat vindt Jan ervan?'

'Hij was door het dolle heen. Dat is heel wat voor een ambtenaar.'

Boukje lachte. Ze vond Jan rustig en degelijk. Hij en Hilde waren aan elkaar gewaagd.

'Je moet vaak komen, hoor.'

'Reken maar.'

Om mee te genieten van dit nieuwe leven, dacht Boukje. Een soort troost. Die nooit de ergste pijn van haar eigen gemis zou wegnemen, maar die ze graag aanvaardde. Ook wist ze zeker dat Hilde het fijn zou vinden om haar belevenissen te delen met iemand die haar erg nabij was.

En zo leefde Boukje mee met het jonge gezin in Arnhem, dat groeide met de jaren. Drie jongens kwamen er, levenslustige kinderen die wilde spelletjes deden en gevaarlijke streken uithaalden. Hilde had er de handen vol aan. Maar ze kon het allemaal aan. En Boukje leefde mee op haar eigen, rustige manier. Toen, jaren later, kwam Maaike, de nakomer. Een tenger, rustig kind. De grote broers waren dol op hun zusje en zouden het liefst met de kinderwagen door de buurt crossen.

Er groeide een hechte band tussen Maaike en haar tante Boukje. Als Maaike bij hen logeerde en ze wandelden door de dierentuin of door het park, dan dachten de mensen vaak dat Maaike haar kleinkind was. Ze zeiden het ook. 'Ben jij fijn met je oma op stap!'

Eerst begreep Maaike het niet. Toen ze een kleuter was ging ze ertegenin. 'Tante Boukje is niet mijn oma.'

Later maakten ze er een grapje van. 'Laat de mensen maar denken dat wij oma en kleindochter zijn. Wíj weten wel beter.'

Die ondeugende blik waarmee Maaike haar aankeek als mensen het weer eens niet konden laten. Het knipoogje dat ze elkaar gaven!

Boukje staat op en loopt naar de schouw. Er staat een Zaans huisje op de ansichtkaart. Maaike is hevig geïnteresseerd geraakt in hoe de mensen vroeger woonden en werkten. Ik zal haar eens een kaart sturen van de oude binnenstad van Leiden, denkt Boukje. Of van de molen. Ze lacht. Allebei dan maar, elk op z'n tijd. Maaike vindt het heerlijk om kaarten te krijgen. Ze vindt het ook prachtig om ze te versturen. Het is haar manier om haar wereldje bij elkaar te houden. Een sociaal mens.

Boukjes gedachten gaan naar de voorjaarsvakantie toen haar oogappel hier weer eens logeerde. Daar, in die vakantie, is het begonnen.

Ze wandelden langs de Maas en keken naar de enorme brug. Ze dronken chocolademelk en aten er een stuk appeltaart bij. Maaike kocht ansichtkaarten van haar eigen zakgeld. Van thuis had ze postzegels meegekregen. 's Middags regende het, dus toen was er alle gelegenheid om de kaarten te schrijven.

'Die brug stuur ik naar vader en moeder. En naar de jongens.'

'Die vinden hem vast erg mooi.'

'En deze gaat naar Tessa.'

'Je vriendinnetje?'

'Ja. We zitten nu naast elkaar.'

Maaike pakte haar balpen. Boukjes ogen vielen bijna dicht. Ze glimlachte om zichzelf. Je bent tenslotte een soort oma, dan mag het wel, dacht ze. Maar plotseling was ze weer helemaal helder.

'Aan Tessa van Groenendael,' mompelde Maaike.

De rest kon Boukje niet verstaan. Maar die naam was genoeg. Sophie, haar vriendin, de weduwe van Wilbert van Groenendael…

Boukje heeft jarenlang meegeleefd met wat bijna onverteerbaar was. Wilbert, die zijn vrouw terroriseerde. En haar bovendien haar zoon afnam. Norbert van Groenendael, die nu in Amerika woont. Maar die in Arnhem een vrouw heeft achtergelaten en misschien wel een paar kinderen. Tessa van Groenendael. Zou het mogelijk zijn? Norbert woonde in Arnhem-Noord, in een luxevilla. Waarschijnlijk heeft zijn echtgenote een bescheidener huis gezocht.

Boukje vermoedt dat Sophies gedachten sinds het overlijden van Wilbert vaak naar Arnhem zijn gegaan. Wat ze altijd heeft weggestopt, zoals je dat doet met iets wat te veel pijn doet, iets waar je toch niks aan kunt veranderen, dat komt nu natuurlijk weer tevoorschijn. Dat kan niet anders. Nog nooit heeft ze erover gepraat. Er was in de afgelopen weken zo enorm veel dat haar in beslag nam.

'Vertel me eens wat over Tessa,' vroeg Boukje.

'Nou gewoon, we spelen met elkaar. Maar ook wel met de andere kinderen natuurlijk.'

'Komt ze weleens bij jou thuis?'

'Niet zo vaak. Ze woont best ver weg. Zullen we nu de kaarten gaan posten?'

'Dat is goed. Samen onder de grote paraplu.'

Een week later had ze Hilde gebeld.

'Weet jij iets meer over Tessa's gezin? Misschien is het de familie die Sophie al die jaren heeft moeten missen.'

Boukje had haar zus weleens iets over Sophie verteld.

Hilde aarzelde.

'Ik weet er heel weinig van. Tessa's moeder heb ik nog nooit ontmoet bij mijn weten. Ik zal eens in het telefoonboek kijken.'

'Waarschijnlijk gebruikt die moeder nu weer haar eigen naam.'

'Ach ja, natuurlijk. Zal ik eens informeren?'

'Doe het rustig aan. Het ligt voor Sophie heel gevoelig.'

'Ik zal mijn ogen en oren openhouden.'

Pas in juni had Hilde nieuws.

'Erg veel weet ik nog niet, Boukje. Ik vind het moeilijk om al te directe vragen te stellen. Maar ik weet waar de familie van Tessa met vakantie gaat. Begin juli, zodra de zomervakantie begonnen is, gaan ze naar hotel De Wilde Roos. Maaike heeft het adres op een papiertje geschreven, want natuurlijk gaan de dames kaarten uitwisselen. Post krijgen op je vakantieadres is heel opwindend. Hier komt het volledige adres.'

'En nu moet Sophie daar gaan kijken?'

'Veel meer, ze moet daar gaan logeren. Dan heeft ze alle tijd om het gezin te leren kennen en te ontdekken of het haar schoonfamilie is.'

'Je bent grandioos, Hilde.'

'Dat zegt Jan ook.'

'En Maaike?'

'Die weet uiteraard nergens van.'

Pas toen vertelde Boukje aan Sophie wat ze ontdekt hadden.

'Het is heel goed mogelijk dat dit geen familie van je is, Sophie. Maar als je heel argeloos in dat hotel gaat logeren, dan kan er niks misgaan.'

Sophie keek bedenkelijk.

'Is dat wel helemaal eerlijk?'

'Het is voor iedereen de veiligste weg. Als je schoondochter je niet bevalt, dan ben je niet verplicht om dikke vriendinnen te worden. Maar dan kun je wel zeggen dat je graag contact wilt met je kleinkind.'

'Misschien is ze vreselijk boos op me.'

'Waarom zou ze?'

'Ik weet niet wat Norbert over ons verteld heeft. Ik vermoed dat hij ons afgeschilderd heeft als afschuwelijke mensen. Ontaarde ouders, die hun kind de deur wijzen.'

'Je schoondochter weet na zo veel jaren heel goed dat Norbert ook niet de gemakkelijkste was.'

Sophie moest het toegeven, ook al vond ze het moeilijk om zo over haar zoon te horen praten.

'Ik weet niet of ik het wel aandurf,' zei ze.

'Waar ben je dan bang voor?'

Het bleef heel lang stil. Sophie ging bij zichzelf te rade. Als het fout ging, als ze met haar gedrag weer nieuwe ruzie opriep, dan zou de breuk nog definitiever worden en was alles hopeloos verloren. Nu had ze tenminste nog een droom.

'Als het misgaat...' zei ze aarzelend.

Boukje begreep het wel. Er was al zo veel misgegaan.

'Denk er rustig over na. Maar ik zou zeggen, boek in ieder geval een week of zo in dat hotel. Dan ben je er ook eens even uit.'

'Denk je dat ik daar zo ontspannen zal zitten?'

'Vast niet. Maar je hoeft niks. Bij twijfel niet inhalen, dat weet je.'

De volgende dag belde Sophie.

'Boukje, ik heb geboekt. Voor twee weken.'

'Prachtig.'

'Onder mijn meisjesnaam. Anders zak ik bij de eerste de beste gelegenheid door de mand.'

'Je bent een slimmerik.'

'Waarom gaan jullie niet mee?'

Boukje lachte.

'Omdat je dit alleen moet doen, Sophie. Wij zouden je aandacht maar afleiden van je eigenlijke taak.'

'Goed, goed, maar ik blijf het eng vinden.'

'Er zijn geen monsters die je op willen eten. Dus je hebt ook geen bescherming nodig.'

's Avonds vertelde Boukje aan Rieuwert over de plannen die ze gemaakt hadden. Hij moest er hartelijk om lachen.

'Waarom zo geheimzinnig? Durft Sophie niet te zeggen wie ze is en wat ze wil?'

'Nee.'

'Dat begrijp ik niet.'

'Ik wel. Sophie is doodsbang dat ze opnieuw wordt afgewezen. Zoals al zo vaak gebeurd is.'

Verbaasd kijkt hij haar aan.

'Was Wilbert echt zo'n onmens?'

'Hij was een despoot.'

'Daar heb ik nooit iets van gemerkt.'

'Nee, jij ging op in het bridgen en liet je een lekker wijntje inschenken.'

'Tja, het was ons avondje uit.'

'En dat gunde ik je van harte. Maar je weet zelf toch ook dat Wilbert het niet goedvond dat Sophie contact hield met hun zoon.'

'Jazeker. Maar hoelang is dat geleden!'

'Rieuwert, nou wil ik je wijzer hebben. Sophie heeft er al die jaren onder geleden. En nu Wilbert er niet meer is, gaat ze voorzichtig op pad.'

'Ik zie het. Een typische vrouwenlist.'

'Daar is de geschiedenis vol van. Zonder vrouwen zou de wereld er heel anders uitzien.'

'Daar ben ik het van harte mee eens. Kom eens hier, dan krijg je een kus.'

'Kom hem maar brengen, luie aap.'

Op maandagmorgen zit Sophie met een boek in de tuin. Erg veel leest ze niet. Vanmorgen komen er gasten met kinderen, heeft ze horen zeggen. Het maakt haar ongedurig. Was het maar zover. Aan de andere kant ziet ze er ook tegenop. Aan zulke avonturen is ze niet gewend. Avonturen met andere mensen nog wel. Haar leven is altijd volgens de regels gegaan. Nog steeds voelt ze een licht schuldgevoel over de strategie die ze hebben uitgedacht.

Wanneer ze gaat lunchen is de eetzaal nog bijna leeg. Ze zoekt haar tafeltje op en is bijna blij dat Robin er op dit moment niet bij is. Zijn werk zal hem de hele dag in beslag nemen.

Ze is net aan haar eerste boterham begonnen als er een groep kinderen binnenkomt, druk roepend over waar ze willen zitten. De ouders vermanen hen rustig te zijn. Na enig geharrewar hebben ze allemaal een plek gevonden aan de lange tafel die aan de zijmuur van de eetzaal staat. Sophie kijkt gespannen toe. Er lijken drie moeders te zijn. Eén is groot en stevig gebouwd. Ze heeft haar blonde haar in een paardenstaart. Met een tamelijk harde stem toomt ze de kinderen in. De tweede moeder is tamelijk slank. Ze heeft kastanjebruin haar dat in een nonchalant kapsel is geknipt. Met gefronste wenkbrauwen ziet ze het hele gedoe aan. De derde moeder is klein en blond. Ze draagt felgekleurde kleren met een overvloed aan kettingen en armbanden.

Sophie ziet maar één vader. Een lange, blonde man met een korte baard en lachende ogen. Hij torent boven het gezelschap uit en overziet de tafel als een veldheer, voor hij zijn plaats inneemt. Sophie vraagt zich af bij wie van de drie die vader hoort. Ze zal het wel merken.

'Smaakt het, mevrouw?' vraagt het meisje dat bedient.

'O ja, prima. Ik keek even naar al die kinderen.'

'Ik hoop dat u geen last van ze zult hebben.'

Hoe meer last, hoe liever, denkt Sophie. Ze lacht.

'Nee hoor, ik vind het gezellig, die kinderen.'

Ze kijkt nog eens naar de vrolijke groep. Het is duidelijk een stel vrienden, waar klein en groot elkaar goed kennen. De kinderen zijn druk met hun boterhammen. Ze praten en lachen met elkaar. Sophie kijkt of ze iets bekends ontdekt bij een van hen. Dat werkt niet. Ze wil niet al te lang naar hen zitten staren en probeert haar aandacht bij de lunch te houden. Dat lukt maar ten dele. Er zit te veel spanning in haar lijf.

's Middags weet ze niet goed wat ze zal gaan doen. Het is nog steeds stralend zomerweer. De kinderen zijn uitgezwermd naar alle kanten. Ze hoort hun geroep, ze ziet hen heen en weer rennen. Bij ieder kind denkt ze: zou dit misschien...

Ophouden, Sophie, zegt ze tegen zichzelf. Op deze manier raak je helemaal verkrampt. Neem eens even afstand.

Dat doet ze letterlijk. Ze zoekt haar auto op en maakt een rit door de omgeving. Het landschap bevalt haar wel. Ze ziet bossen en heidevelden, boerderijen en bedrijven en dan opeens een dorp. Ze stopt om een kop koffie te drinken. Maar het enige restaurant van het dorp is dicht. Ook de winkels zijn gesloten. Tja, het is maandag en dan staat het leven stil. Zoals haar eigen leven ook stil is komen te staan. Wat ze achter zich heeft, is voorbij. En wat er komen gaat, dat weet ze nog niet.

Tegenover het restaurant staat een bordje met een pijl. Naar het kasteel. Dat klinkt romantisch. Ze besluit erheen te wandelen. Een smal laantje brengt haar buiten het dorp. Ze slaat een bosweg in en komt bij een oprijlaan. Aan het eind daarvan staat ze stil. Nou ja, zegt ze dan bijna hardop, is dit een kasteel? Hooguit is het een kasteel gewéést. Nu is het een bouwval. Het dak vertoont grote gaten, de muren brokkelen af, voor de ramen zijn planken gespijkerd. Waar ooit een gracht was, groeit een wirwar van struiken en brandnetels. Links van de ruïne loopt een uitnodigend pad het bos in. Sophie kan de verleiding niet weerstaan. Ze gaat over een brug, die gelukkig stevig aanvoelt. Ze ziet resten van een watermolen. Achter de ruïne heeft ze een doorkijkje naar de vroegere tuin. Het lijkt of daar nog wel iemand aan gewerkt heeft. Er zijn groentebedden en veel bessenstruiken. Ze loopt verder. Een ideaal plekje voor spelende kinderen, denkt ze. Een kasteelruïne met verborgen schatten. Rovers in het struikgewas.

Aan haar rechterhand houdt het bos op. Er loopt een pony in een wei. Daarachter staat een boerderijtje. Daar zullen de eigenaars van die pony wonen. Mensen die haar vast wel een glas water willen geven. Ze heeft dorst gekregen. Ze wandelt het zandweggetje op, en luistert of er niet een grote, blaffende hond op haar af komt stuiven. Maar het blijft volmaakt stil.

Op het erf van de boerderij staat ze verrast stil. Een grote, ouderwetse boerentuin ligt voor haar, overgoten met zonlicht. Struiken en bloemen groeien schijnbaar ongeordend bij elkaar. Malva's staan tegen een ligusterhaag. Kamilles groeien vrolijk tussen een bed begonia's. Tegen een gammel hekwerkje bloeit de lathyrus uitbundig. Centraal is een kruidentuin, waar bijen af en aan vliegen. En midden in die weelde ziet ze een grote strohoed. Aarzelend loopt ze erheen. Onder de strohoed ontdekt ze een vrouw die zit te schilderen. Rode en roze pioenen schildert ze, sommige nog in de knop, andere in volle tooi. Stevige bladeren omlijsten de bloemen.

'Neem me niet kwalijk dat ik u stoor,' zegt Sophie, 'maar hebt u misschien een glas water voor me?'

'Zeker. Vindt u het goed dat ik even dit blad afmaak?'

Sophie kijkt geboeid toe. Wat een zonnig schilderij. Wat een gave om iets van deze prachtige tuin te kunnen weergeven.

De vrouw spoelt haar penseel uit en staat op.

'Loopt u maar mee.'

Bij de deur staat een bankje. Daar mag Sophie gaan zitten. Even later krijgt ze een glas water aangereikt.

'Dank u wel. Wat een mooie tuin is dit.'

'Ja, een bron van inspiratie.'

'Ik vind het prachtig wat u daar maakt.'

De vrouw geeft geen antwoord. Ze is met haar gedachten nog bij het schilderij, denkt Sophie. Terwijl ze haar glas leegdrinkt kijkt ze uit over de tuin. Zoiets wil ze ook. Geen boerentuin, maar wel die overvloed aan kleuren, vormen, geuren.

'Is uw schilderij te koop?' vraagt ze in een opwelling.

Warempel, de vrouw lacht.

'Nu nog niet. Komt u volgende week maar terug, dan kunt u

alles zien wat ik gemaakt heb. Belt u van tevoren.'

Sophie wandelt de weg terug. Ze heeft een droomtuin gezien. En volgende week gaat ze een mooi, zonnig schilderij kopen.

Robin gaat heel vroeg op pad. Voorzichtig manoeuvreert hij zijn landrover van de parkeerplaats. Dan rijdt hij over de landelijke wegen, de opengevouwen kaart naast zich op de passagiersstoel. Hij wilde wel dat Sophie daar zat. Meteen lacht hij hardop om dat idee. Sophie, met haar chique kleren in zijn smerige auto! Een dame op reis met iemand die eruitziet als een landloper. Heer Diederik zou raar opkijken.

En wat zou Sophie zelf ervan vinden? Zeker, ze was geïnteresseerd in zijn project. Of veinsde ze uit beleefdheid zo veel belangstelling? Nee, beslist niet. Sophie is volkomen oprecht. Hoe hij dat weet na één dag is hem een raadsel. Maar als hij denkt aan die rustige, grijsblauwe ogen waarmee ze hem aankeek, het verdriet dat ze uitstraalde zonder dat ze er een woord over zei, dan weet hij dat ze écht is. Niet gespeeld.

En ik had me nog wel voorgenomen om niet meer met een vrouw aan te pappen, vermaant hij zichzelf. Het is waar. Toen hij wegvluchtte uit Engeland was dat zijn vaste voornemen. En nu, na één dag, gaat hij al door de knieën. Ja, maar Sophie is heel anders, realiseert hij zich, ze is niet iemand met wie je aanpapt. Ze houdt afstand, ze is voornaam op een goede manier.

Hij durft haar wel te vertrouwen. Makkelijk genoeg, denkt hij, want wat weet ze nu helemaal van mij? Bijna niks. Mijn beroep. En dat ik een halve Engelsman ben. Bovendien, wat weet ik van haar? Nog veel minder. Toch voelt het aan alsof we elkaar al langer kennen. En niet alleen vanwege onze bevlogenheid voor tuinen en bloemen.

De havezate is klein. Aan de voorzijde ziet hij een rij langwerpige ramen, waarachter hij een congreszaal vermoedt. Er is geen enkele nodeloze versiering. Geen torentjes, geen trapgeveltjes, geen bordes. Prachtig, zo'n strak gebouw. Vermoedelijk is de tuin vroeger in dezelfde stijl ingericht.

Heer Diederik is een jonge man. Donker pak, glanzend gepoetste schoenen. Hij laat Robin binnen in een ruime hal.

'Ik zal u eerst een rondleiding door het huis geven.'

De restauratie is grondig geweest. Robin hoopt dat hij de tuin net zo groots mag aanpakken. Hij krijgt een kamer toegewezen aan de achterkant van het huis. Daar staan een bureau om aan te werken en een tafel waarop heer Diederik een paar oude plattegronden en tekeningen heeft gelegd.

'Zo heeft de tuin er vroeger uitgezien, omstreeks achttienvijftig.'

Robin is blij dat dit werk vooraf is gedaan. Zo hoeft hij niet meteen in allerlei archieven te duiken. Heer Diederik houdt kennelijk van een zakelijke aanpak.

'En hier is de keuken. Het personeel zal u voorzien van koffie en thee, en als u dat wenst een lunch.'

Robin gaat aan het werk. Hij meet in de tuin en maakt een plattegrond op schaal. Hij kijkt hoe de grenzen van het goed zijn aangegeven en noteert elzensingels, heggen en sloten.

Hij maakt tientallen foto's. Kortom, hij is in zijn element en vergeet verder alles. Met een voldaan gevoel en vol ideeën komt hij terug in het hotel. Tijd voor het diner. Maar eerst gaat hij zich uitgebreid opknappen.

Het is vol in het restaurant. Sophie heeft op hem gewacht. Ze zit met een glas wijn in haar hand en staart de eetzaal in.

'Is het toegestaan?' vraagt hij beleefd.

'Graag.'

Hij schuift aan.

'Wat wilt u drinken, meneer?' vraagt het meisje.

'Een tonic.'

'Geen wijntje?' vraagt Sophie.

'Nee, van z'n leven niet meer.'

Het is haar duidelijk. Ze neemt zich voor om als hij erbij is ook geen alcohol meer te gebruiken.

'Hoe was het bij heer Diederik?'

'Veelbelovend.'

Hij vertelt over de mooie havezate en de prettige ontvangst.

De soep komt.

'Lekker,' zegt hij.

'Perfect. Hoe gaat dat nou verder met die tuin?'

'Straks ga ik wat aantekeningen uitwerken. En ik moet een voorlopig voorstel doen met plannen en een begroting.'

'Heb je voldoende ruimte in je kamer?'

Sophie denkt aan het popperige bureautje in haar eigen kamer. Voldoende plek om een ansichtkaart te schrijven. Maar voor werktekeningen?

'O, ik leg het meeste op de vloer. Gelukkig heb ik op de havezate een grote tafel.'

Sophie probeert het zich voor te stellen. Robin op zijn knieën in zijn kamer, plattegronden bestuderend. Ze ziet het Wilbert nog niet doen. Met moeite houdt ze een glimlach achter.

Het hoofdgerecht wordt opgediend. Diverse groenten, gebakken aardappelen en vis met een dillesaus. Ze proeven, ze genieten.

'Daar word je stil van,' zegt Robin.

'Heerlijk. Ik wilde dat ik die saus net zo kon maken.'

'Vraag het recept.'

'Dat geven ze vast niet.'

Ze denkt aan de hoteleigenaar. En opeens herinnert ze zich wat de musjes zeiden. Op maandag komt er een kok uit het dorp. Maar die kan het lang niet zo goed. Nou, wat haar betreft mag die man iedere dag wel komen.

Robin laat zich een tweede portie opscheppen.

'Heerlijk,' zegt hij, 'ik was uitgehongerd. En wat heb jij vandaag gedaan, Sophie?'

Ze vertelt over haar autorit door de omgeving. En over de ontmoeting bij het boerderijtje achter de kasteelruïne.

'Volgende week ga ik daar een schilderij kopen.'

Hij kijkt verrast op.

'Wat schildert die dame?'

'Bloemen. De tuin is haar inspiratie.'

'Echt iets voor jou dus.'

Ze knikt.

'Op een dag wil ik kleiner gaan wonen. Een lief huis met een grote tuin. Daar droom ik van.'

Nadenkend kijkt hij haar aan. De trouwring aan haar vinger is hem niet ontgaan.

'En… wil meneer Koster dat ook?'

Even vraagt ze zich af wie meneer Koster is. Dan antwoordt ze bedachtzaam: 'Mijn man is vorig jaar overleden. En inderdaad, hij hechtte nogal aan het huis waar we woonden. Maar voor mij alleen is het veel te groot.'

'O, dat spijt me voor je, Sophie.'

Verder praten lukt niet. Want bij de lange tafel gaat een luid gejuich op. Er is ijs als dessert. De coupes zijn feestelijk opgemaakt en versierd met een parasolletje.

'Het zal toch niet alleen voor de kinderen zijn?' zegt Robin.

'Geen zorg,' lacht Sophie, 'ik zie dat de andere gasten hetzelfde krijgen.'

4

Sophie heeft een onrustige nacht. Ze droomt van kinderen die bij de oude kasteelruïne spelen. Plotseling komt Wilbert tevoorschijn uit het struikgewas. Hij jaagt de kinderen weg en komt naar haar toe met een verwijtende blik in zijn ogen.

De droom gaat met haar mee de dag in. Bij het ontbijt zit ze er nog steeds aan te denken. Hoe was Wilbert met kleine kinderen? Nooit gezellig of speels. Hij hield niet van kinderen. Hij had ook geen enkel gevoel voor romantiek. Zelf zou Sophie bij dat brokkelige kasteel allerlei verhalen kunnen bedenken. Als kind zou ze die uit willen spelen. Ridders met vijanden. Spionnen. Onderaardse gangen. Wilbert zou zijn neus ophalen voor die oude ruïne. En de tuin eromheen zou hij zonder pardon plat laten walsen. Zo was Wilbert.

En nu wil ik niet meer aan hem denken, besluit Sophie. Ik ben met vakantie en daar moet ik van genieten volgens Boukje. Ze heeft gelijk. Het is hier een prima hotel en de omgeving is prachtig. Verder heb ik een missie te volbrengen. Over twee weken wil ik weten waar ik aan toe ben.

Als een van de laatsten verlaat Sophie de eetzaal. Robin heeft ze nog niet gezien. Waarschijnlijk is hij alweer naar zijn werk. Ze haalt haar boek en gaat op zoek naar een plekje waar ze kan zitten lezen. Nou ja, lezen? Je houdt jezelf voor de mal, Sophie. Beken nou maar dat je een plekje zoekt waar je naar de kinderen kunt kijken, waar je misschien iets ontdekt. Dat boek is alleen maar een ding om je achter te verbergen.

Eerst maakt ze een ommetje door de bloementuin. Lars is een paar planten aan het opbinden.

'Goedemorgen, mevrouw Koster,' zegt hij vrolijk. 'Komt u de bloemen begroeten?'

'Ja, en jou ook. Ik geloof dat je een dichter bent.'

'Dat is iedere tuinman. Wij schrijven poëzie in kleur en vorm.'

'En dat doe je heel knap.' Ze kijkt om zich heen. 'Ik neem aan dat de kinderen hier niet mogen komen.'

'Alleen als er een volwassene bij is. Ravotten mogen ze op het speelveld achter de schuur.'

Lars gaat verder met zijn werk. Sophie zoekt het speelveld op. Het blijkt een flink grasveld te zijn met een paar schommels, een klimhuis en aan de rand twee doelpalen. Ze lacht. De kinderen hebben deze ideale plek allang ontdekt. Langs het veld staan banken. Op een ervan ziet ze twee van de moeders, druk in gesprek, terwijl ze het oog op hun kroost houden. Sophie gaat op de andere bank zitten. Ze pakt haar boek, slaat het open en kijkt dan naar de spelende kinderen. En nu ga je niet zitten dubben wie je kleinkind zou kunnen zijn, houdt ze zichzelf voor. Doe maar net of ze allemaal van jou zijn.

Dat helpt warempel een beetje. Ze leeft mee met hun spel, hun succesjes en kleine nederlagen. En vooral met hun plezier. Ja, denkt ze, ik zou van jullie allemaal kunnen houden.

Opeens zit Robin naast haar.

'Goeiemorgen, Sophie.'

'Goeiemorgen. Ik dacht dat je aan het werk was.'

'Ben ik ook.'

Hij pakt een schetsboek uit zijn oude rugzak, haalt een potlood tevoorschijn en observeert in alle kalmte de spelende kinderen. Na een minuut of tien begint hij te tekenen. Zijn potlood vliegt over het papier. Sophie gluurt uit haar ooghoeken, maar ze zegt niets. Straks zal hij zelf wel beginnen, nu is hij heel geconcentreerd bezig. Ze doet net of ze leest, maar vaker kijkt ze naar de kinderen.

Robin laat zijn potlood rusten.

'In de tuin van de havezate stond vroeger een beeldje van een spelend kind. Ze willen graag dat er weer zoiets komt. Ik heb beloofd dat ik een paar ontwerpen zou indienen.'

Sophie laat haar ogen over zijn schetsen gaan.

'Knap! Waar heb je dat geleerd? Hoort het bij de opleiding voor tuinarchitect?'

'Nee, in mijn jonge jaren ben ik naar de kunstacademie geweest. Maar met die opleiding kun je meestal geen droog brood verdienen.'

'En ben je toen de tuinarchitectuur ingegaan?'

'Niet direct. In Schotland heb ik een aantal zomers geschilderd. Meren en bergen. Grote heidevelden, je weet wel. De toeristen

52

kochten die schilderijen nog voor ze droog waren.'

Sophie lacht. Ze denkt aan de pioenen in de boerentuin.

'Ik ben ook nog een poosje suppoost geweest in een museum voor moderne kunst,' gaat Robin verder.

'In Nederland?'

'Nee, ook in Schotland. Het liep er bepaald geen storm. Alleen 's zomers kwamen er veel mensen. Ken je Schotland?'

'We zijn weleens in Edinburgh geweest,' zegt Sophie vaag.

Hoelang is dat geleden? Ze herinnert zich er niets bij.

'Later kwam ik in contact met een tuinarchitect in Kent,' gaat Robin verder. 'Die heeft mij in dienst genomen. In die jaren heb ik ook de opleiding gedaan.'

'En hoe kom je nu weer in Nederland terecht?'

Sophie vindt zichzelf vreselijk nieuwsgierig. Ze is het niet gewend mensen zo uit te horen. Maar het lijkt Robin niet te storen.

'Tja, als je werkgever er met jouw ontwerp vandoor gaat en daar goede sier mee maakt, dan is de vriendschap wel compleet de nek omgedraaid. Gelukkig heb ik al die jaren contact gehouden met enkele tuinmensen in Nederland. Die wezen me op heer Diederik. Ik stak dus halsoverkop het grote water weer over en vond hier een interessant project.'

'En waar woon je dan?'

'O, in een stacaravan. Als het gaat winteren zien we wel verder.'

Robin pakt zijn potlood weer op. Sophie denkt na over zijn enigszins zwervende bestaan, dat volkomen in tegenstelling is met haar eigen leven, waarin ze gevangenzat in een huis en in een huwelijk waar ze zich niet thuis voelde. Maar zowel zij als Robin zijn beroofd van iets kostbaars, een stuk van zichzelf. Bij Robin was het een ontwerp. Bij haar een kind, een zoon. Ze hebben allebei verliezen moeten incasseren en zoeken nu een weg waarop ze verder kunnen gaan. Is dat het waardoor er zo'n kameraadschap tussen hen is? Sophie glimlacht om haar gefilosofeer en verdiept zich in haar boek. Waar ging dat ook weer over?

Een paar kinderen komen bij hun bank staan, nieuwsgierig glurend naar Robins schetsboek.

'Rik, hij heeft jou getekend,' schreeuwt een jochie enthousiast.

En opeens zijn ze omringd door nog meer kinderen.

'Dat is Rik niet, dat is Peter,' zegt een meisje.

'Opa, maak je van mij ook een tekening?'

Een peuter met kroeshaar kijkt hem smekend aan met een paar zwarte ogen als diepe, donkere meren.

'Opa! Ook dat nog,' verzucht Robin.

Hij slaat een paar bladzijden van zijn schetsboek terug en legt uit: 'Eigenlijk heb ik niemand speciaal getekend. Kijk maar, er is geen enkel gezicht bij.'

Ze verdringen zich om hem heen.

'Pas op,' waarschuwt Robin, 'straks duw je oma van de bank.'

Sophie krijgt een schok. Oma! Robin moest eens weten hoe dicht hij bij de waarheid zit. Gelukkig letten de kinderen nauwelijks op haar.

'Waarom maakt u de tekeningen niet af?' vraagt een wat groter meisje.

'Een heel goeie vraag. Ik teken alleen maar een spelend kind. Dus dat zijn jullie allemaal, maar niemand in het bijzonder.'

'Waarom krijgen we geen gezichten erbij? Ik teken altijd ogen en een mond.'

'Tja, waarom geen gezichtjes?'

Robin tekent snel een paar ogen en de omtrekken van een mondje.

'Zoiets?'

Ze vinden het maar half werk.

'Krijgt hij geen tanden?'

'Nee, dat dacht ik niet.'

'Dan wil niemand je tekeningen kopen.'

'Ze zijn ook niet om te verkopen.'

'Waar zijn ze dan voor?'

'Misschien worden ze gebruikt om een beeldje te maken. Een beeldje van een spelend kind, hoe lijkt je dat?'

'Is dat niet moeilijk?'

'Je kunt het leren. Eerst maar veel oefenen met klei.'

'Dat ga ik aan Anouk vragen,' roept een meisje.

Ze holt naar de andere bank met een paar kinderen in haar kielzog.

'Bah, kleien,' zegt een jochie, 'zullen we voetballen?'

Ze zitten weer met z'n tweeën op de bank. Robin pakt zijn tekenwerk op. Sophie denkt erover na hoe het voelde om oma genoemd te worden. Nu nog voor de grap door Robin. Maar straks misschien door een van die spelende kinderen.

Een van de moeders komt naar hen toe, de kleinste van de twee. Ze draagt een slordige spijkerbroek met daarboven een veel te ruim, feloranje T-shirt. In haar oren bengelen enorme zilverkleurige ringen.

'Neem me niet kwalijk,' zegt ze tegen Robin, 'ik hoor dat u tekeningen maakt van de kinderen.'

'Dat klopt.'

'Op zichzelf is daar niks mis mee. Maar als ze voor commerciële doelen zijn, dan hebt u wel de toestemming van de ouders nodig.'

'Aha. Een leeuwin die over haar welpen waakt. Mag ik u uitnodigen om naast mij plaats te nemen en een blik in mijn schetsboek te werpen? Mijn naam is Robin, en deze dame is mevrouw Sophie Koster.'

De vrouw kijkt hem met opgetrokken wenkbrauwen aan alsof ze eraan twijfelt of hij wel goed bij zijn verstand is.

'Ik ben volkomen serieus,' snibt ze.

'Ik ook,' zegt Robin.

Hij wijst op de bank naast zich.

'Gaat u toch zitten, dat praat makkelijker.'

Niet waar, denkt Sophie, zolang ze staat kan ze uit de hoogte doen. Maar de vrouw neemt de uitnodiging aan, zij het aarzelend. Robin laat haar zijn schetsen zien. Ze knikt waarderend.

'Heel verdienstelijk. Rik zei dat dit ontwerpen waren voor een beeldje.'

'Klopt, mevrouw.'

'Hij zei dat het precies leek.'

'En, vindt u dat ook?'

'Nee. Hoewel ik ze wel erg eh… sprekend vind. Spelende kinderen, heel overtuigend.'

'Dank u voor het compliment.'

Ze staat op, enigszins gegeneerd.

'Ik zoek alleen maar het beste voor de kinderen,' verontschuldigt ze zich.

'Ik ook, mevrouw eh...'

'Anouk, ik heet Anouk.'

'Dank je voor de belangstelling, Anouk.'

Schutterig loopt ze weg.

'Deze dame zag jou helemaal niet zitten,' mompelt Robin.

'Dat geeft toch niet. Het ging over jouw schetsen.'

'Ik vind het toch een beetje lomp.'

Sophie kijkt de vrouw peinzend na. Het is duidelijk iemand die snel uit haar slof schiet en dan onaangenaam doet. Gelukkig kan Robin goed omgaan met zulk gedrag. Zou deze Anouk de ex van Norbert zijn? Ze hoopt van niet. Het lijkt ook niet erg waarschijnlijk. Norbert zou vast niet onder de indruk zijn van deze vrouw, hij zou zich alleen maar ergeren.

'Waar vliegen je gedachten heen?' vraagt Robin.

Dat zou ze hem graag vertellen. Ik kijk of hier een schoondochter van me is en een kleinkind. Hij zou het begrijpen.

'Dat hoor je nog weleens,' antwoordt ze bedachtzaam. 'Het is nogal een lang verhaal.'

'Wat is Anouk een grappig meisje, hè? Heel aandoenlijk.'

Sophie heeft andere gedachten over Anouk.

Die dag gaat het nieuws door het hotel dat meneer Harper beeldhouwer is. Men begrijpt nu beter zijn bohemienachtige uiterlijk. Als beeldhouwer kun je natuurlijk niet in een keurig pak met stropdas verschijnen. En vanzelfsprekend moet je zo min mogelijk naar de kapper gaan.

's Avonds na het diner loopt er een man in kokskleding door het restaurant. Hij maakt links en rechts een praatje. Bij het buurtafeltje hoort Sophie hem vragen of het gesmaakt heeft.

'Ja, uitstekend,' is het antwoord.

Wat zou ik zeggen, vraagt ze zich af. Matig? Dat zou nogal onaardig klinken. Dit moet de eigenaar zijn, meneer De Wilde. De man waar de musjes zo hoog van opgaven. Plotseling staat hij bij hun tafeltje.

'Goedenavond. Hebt u het naar uw zin, mevrouw Koster?'

'Ja, dank u.'

'En kunt u genoegen nemen met uw kamer, meneer Harper? Helaas hadden we geen andere. Maar volgende week komen er kamers vrij, dan kunnen we u iets beters aanbieden.'

'Uitstekend,' zegt Robin.

Sophie weet werkelijk niet waar dit op slaat. Op zijn huidige vertrek? Of op de verhuizing naar iets beters? Ze vermoedt dat Robin zich expres op de vlakte houdt.

'Wat is beroemd zijn toch heerlijk,' fluistert hij als de kok weer verder is gegaan. 'Het opent deuren die anders gesloten zouden blijven.'

'Kwajongen,' mompelt Sophie. 'Weet je wel zeker dat jíj die beeldhouwer bent?'

'Dat heb ik nooit beweerd.'

Jessica zit in het kantoor de administratie bij te werken als mevrouw De Wilde binnenkomt.

'Goeiemorgen, Jessica.'

'Goedemorgen, fijn dat u er net bent. Hier is een bestelling die niet klopt.'

Samen kijken ze naar de lijst. Zoals meestal is de fout snel gevonden.

'Daar was Daan er even niet bij met zijn hoofd,' zegt mevrouw De Wilde. 'Verander jij het?'

'Natuurlijk.'

Ze glimlachen naar elkaar alsof het om een kind gaat dat een domme streek heeft uitgehaald. Jessica werkt hier lang genoeg om te weten dat er met Daan iets niet in orde is. Haar werkgever heeft er alles voor over om het hotel goed te laten lopen. Hij is joviaal tegen de gasten en laat merken dat hij blij is met zijn personeel. Maar soms heeft hij slechte dagen. Dan kan hij geïrriteerd zijn over een kleinigheid. En dan gaat er in de keuken van alles mis. Jessica heeft bewondering voor mevrouw De Wilde. Hoe die alles opvangt!

'Ik ben een poosje in de rozentuin, Jessica. Als je me nodig hebt…'

'Geniet er maar van. De rozen zijn nu op z'n mooist.'

Hun verhouding is vriendschappelijk. Ze zijn er allebei gelukkig mee.

In de keuken vult mevrouw De Wilde een thermoskan met koffie, ze pakt melk en koek en twee mokken. Het gaat allemaal in een hengselmandje. Daarmee loopt ze naar buiten. Achter in de rozentuin is een zitje in Franse stijl. Haar vriendin is er al. Ze begroeten elkaar hartelijk.

'Renate, goed je weer te zien. En wat zit er allemaal in die mand van je?'

'Gewoon koffie, hebberige meid die je bent.'

'Bij jou kan ik tenminste mezelf zijn.'

Het is rustig in de tuin. Ze kijken naar de rozen in hun harmonische kleuren en snuiven heerlijke, zoete geuren op.

'Ik vind het gezellig dat je weer bij ons komt, Marjolein. Begint De Wilde Roos je nog niet te vervelen?'

'Integendeel, ik raak verknocht aan dit plekje. En anders slepen de kinderen me wel mee naar hier, vanwege de andere kinderen.'

'Ja, die jonge honden hebben het hier naar hun zin. Ik ben blij dat we de ruimte voor ze hebben. Maar vertel eens, hoe is het met jou?'

'Heel goed. Het lesgeven bevalt me prima. Nu de kinderen wat groter zijn kan ik meer uren geven.'

'En de kinderen?'

'Tja, die nieuwe school gaf eerst wel problemen. Voor Tessa dan. Die voelde zich daar nogal verloren. Maar in groep drie heeft ze een vriendinnetje gekregen. Sinds de kerstvakantie zitten ze zelfs naast elkaar. Het is dik aan met die meiden.'

'Een leuk vriendinnetje?'

'Heel leuk. Een spontaan en ondernemend kind. Net wat Tessa nodig heeft. Die verschuilt zich gauw in een hoekje.'

'En Peter?'

'Die redt zich wel. Hij schijnt behoorlijk de baas te spelen.'

'Dat moet de juf dan maar in goede banen leiden,' lacht Renate. Ze denkt terug aan de zomer dat Marjolein hier voor het eerst kwam met haar twee kinderen. Ze had nog maar pas een scheiding achter de rug, die gepaard ging met een hoop ellende. Renate vond haar net een gewond dier, dat zich verschuilt in het struikgewas. Ze bood Marjolein niet alleen onderdak maar ook vriendschap en een luisterend oor.

Gelukkig waren er in het hotel meer kinderen met jonge ouders en dat werkte heel goed. Vanaf die vakantie waren ze vriendinnen. Iets wat anders nooit gebeurt in het hotel. Renate bewaart altijd afstand ten opzichte van de gasten.

In de jaren erna zag ze Marjolein opleven. Haar nieuwe huis in Arnhem-Zuid was licht en gezellig. Een paar keer kwam Renate er op bezoek. In de nieuwbouwwijk kreeg Marjolein snel contacten. En het werk op de middelbare school gaf haar haar eigenwaarde terug. Want zo veel begreep Renate wel, dat die ex haar erg gekleineerd en beschadigd had.

'En hoe maak jij het, Renate? Je ziet er moe uit. Hoe kom je aan die kringen onder je ogen?'

'Een hotel runnen in het hoogseizoen is geen kleinigheid.'

'Jullie doen het toch samen?'

'Zeker. Maar juist in de zomer is het extra druk. En als Daan gestrest is maakt hij fouten.'

'Zoals?'

Renate denkt aan wat Jessica zojuist ontdekte in het kantoor.

'Een kleinigheid op een bestellijst. Maar als we zoiets niet ontdekken, staan we straks opeens voor een voldongen feit.'

'Zeg je zoiets tegen Daan?'

'Meestal niet, want hij is zo snel geïrriteerd. Dan kan hij helemaal doorschieten en woedend worden om bijna niks. Net of er dan remmen losgaan die hij niet in de hand heeft. Later heeft hij verschrikkelijk veel spijt van zijn gedrag. Dan doet hij er alles aan om het weer goed te maken en zegt dat hij bang is dat ik hem in de steek laat.'

'Wil je dat dan?'

'Geen sprake van.'

'Hebben jullie er weleens met je huisarts over gepraat?'

'Ja, in een periode dat Daan erg in de put zat. De dokter gaf hem antidepressiva. Dat hielp wel een poos. Maar niet voldoende.'

'Wat moeilijk voor je, Renate.'

'Ik maak er het beste van.'

Marjolein ziet dat haar vriendin in de verte staart. Er ligt zo'n zorgelijke trek op haar gezicht dat ze jaren ouder lijkt.

'Maar er is nog iets,' zegt ze. 'Daan heeft verleden najaar een peperdure sportwagen gekocht. Dat was nergens voor nodig, onze Renault doet het prima. Met dat nieuwe geval haalt hij tot bijna tweehonderd kilometer.'

Marjolein schrikt.

'Doet hij dat ook echt?'

'Ja, op de snelweg. Ik ben bang dat hij op de provinciale wegen ook veel te hard rijdt.'

'Hij snapt toch wel hoe gevaarlijk dat is?'

'Natuurlijk, en dan belooft hij weer beterschap. Ik wil dat hij die auto verkoopt. We kunnen ons die eerlijk gezegd niet eens veroorloven. Hij slurpt benzine en het onderhoud is ook heel duur.'

'Wat een zorgen, Renate.'

'Als ik er nu met hem over ga praten, ben ik bang dat hij weer in een van zijn neerslachtige buien terechtkomt. En het is hoog-seizoen.'

'Ja, voor jou in ieder opzicht.'

'In september ga ik het aankaarten.'

'Ik wilde dat ik iets voor je kon doen.'

'Je hebt naar me geluisterd. Ik kan er verder met niemand over praten en dat benauwt me weleens.'

'Pas in ieder geval goed op jezelf,' zegt Marjolein. 'Niemand heeft er wat aan als jij eronderdoor gaat. Doe af en toe iets leuks.'

Renate lacht.

'Zoals nu bijvoorbeeld.'

'Laten we daar nog een kop koffie op drinken. Gaan jullie dit najaar nog met vakantie?'

'Daan wil een week naar Italië.'

'Ik begrijp het al. Samen in die sportwagen.'

'Ja. Maar dat zie ik niet zitten.'

'Het zou geen vakantie voor je zijn.'

'Beslist niet. Ik wil naar zee. Een week naar Texel of zo.'

Renate verdwijnt met haar mand vol koffiespullen. Marjolein blijft nog even rustig zitten. De andere twee moeders passen op de kinderen, dus ze heeft alle tijd. Ze is geschokt door wat Renate haar vertelde over Daan. Van die kant van hem had ze geen flauw vermoeden. Hij was altijd de charmante gastheer van het hotel. Hij maakte dat ze zich welkom voelde vanaf het moment dat ze hier binnenkwam. En nu is ze er helemaal thuis. Ze heeft een vriendin gevonden in Renate, iemand die haar opving in die eerste, moeilijke zomer. Iemand die begreep dat ze niet langer kon leven met een echtgenoot die haar voortdurend schoffeerde en uiteindelijk bedroog. Heeft Renate haar zo goed begrepen doordat ze het zelf ook niet gemakkelijk had in haar huwelijk? Was dat gedoe met Daan toen al aan de gang? Of is het pas van de laatste tijd?

Marjolein kan zich nauwelijks voorstellen dat Daan zo vreemd in elkaar zit. Maar ze gelooft Renate onvoorwaardelijk. Haar verhaal was heel overtuigend, ze zat beslist niet te overdrijven. Hoe is het mogelijk dat iemand twee zulke totaal verschillende kanten in zijn karakter heeft. En als Daan spijt heeft van zijn gedrag, waarom gebeurt het dan steeds weer opnieuw? Het blijft Marjolein bezighouden.

Bij de lunch is het een gezellige drukte. De kinderen zitten nog helemaal in hun spel. Maar zodra de eerste boterham gesmeerd is, wordt het opmerkelijk stil. Marjolein ziet dat Peter naast Rik is gaan zitten. En dat hij veel te veel vlokken op zijn brood heeft gedaan. Ze glimlacht. Vakantie, dan is alles anders.

Tessa zit naast haar.

'We waren op het speelveld. Waar was jij?'

'Bij tante Renate, koffiedrinken.'

'En babbelen natuurlijk.'

'Wat dacht je? Hebben jullie fijn gespeeld?'

'Ja, in het klimhuis. Later zijn we bij die opa gaan kijken. Hij maakte een tekening van Rik.'

Tessa wijst ongegeneerd naar een tafeltje aan de andere kant van de eetzaal. Marjolein legt haar hand op die van Tessa en duwt hem zachtjes naar beneden tot hij op tafel ligt. Ze houdt hem liefkozend vast. Tessa kijkt beschaamd, ze weet dat ze niet mag wijzen.

'Je bent mijn lieve meid,' zegt Marjolein. 'Heb je die tekening gezien?'

'Ja, we gingen allemaal kijken. Die opa zei dat hij er een beeld-je van ging maken.'

'Van Rik?'

'Nee. Of misschien ook wel.'

Marjolein lacht.

'Zo gaat dat met beelden.'

'Is die opa dan een beeldhouwer?'

'Dat zou heel goed kunnen.'

Marjolein kijkt naar de man met zijn slordige kleren en zijn woeste haardos. Hij doet in ieder geval wel zijn best om er artistiek uit te zien. Zou die vrouw bij hem horen? Ze ziet er zo anders uit dan hij. Een verzorgd uiterlijk. Dure kleren. Een sympathiek gezicht met grote, grijze ogen. Ze luistert aandachtig naar wat hij zegt. Dan lachen ze vrolijk. Ja, die twee horen bij elkaar.

'Waar kijk je zo naar, mama?'

'O, Tessa, nou deed ik net als jij. Je mag niet wijzen, maar je mag mensen ook niet aanstaren.'

'Waarom niet?'

'Dat vinden ze niet fijn. Soms worden ze er verlegen van. Wat gaan jullie vanmiddag doen?'

'Anouk gaat met ons knutselen. We moeten de jampotjes mee-nemen. En vanavond doen we een optocht.'

'Is dat alleen voor de kinderen?'

'Ja.'

'Jammer nou.'

'Zal ik aan Anouk vragen of je mee mag doen?'

Marjolein lacht. Tessa heeft haar moeder het liefst dicht bij zich in de buurt. Dat voelt veilig. Er is al heel wat onveiligheid geweest in haar korte bestaan.

'Vraag maar aan Anouk of ik helpen kan.'

Tessa gaat er meteen op af. En Anouk vindt het goed.

'Graag,' seint ze naar Marjolein.

Sophie zit aan de rand van het terras, zo dicht mogelijk bij de tuin. Het is avond. Bij het diner heeft die lange man, de vader van het stel kinderen, alle gasten uitgenodigd om naar de optocht te komen kijken. 'Op het terras zult u alles piekfijn kunnen zien,' zei hij. Sophie wil niets liever. Haar gedachten zijn voortdurend bij de kinderen. Ze wil zo graag dat er een of meer bij haar zullen horen. Dat er kleine Groenendaels bij zijn. Tegelijk is ze er beducht voor. Waarom? Ze weet het niet.

Van achter een grote conifeer komt er iemand tevoorschijn. Het is Anouk. Ze heeft een puntmuts op waaraan een strook tule is bevestigd. Haar kleurige rok reikt tot op de grond. Een echte feeëngestalte. Ze heeft een jongetje aan haar hand. Het kind draagt een brandend lantaarntje aan een stok en kijkt daar verheerlijkt naar. Hij is zo onder de indruk dat hij vergeet te lopen. Anouk trekt hem zachtjes vooruit. Achter hen komen de andere kinderen, allemaal met een lantaarntje. Sommigen dragen een feeënhoed, net als Anouk, anderen hebben een kaboutermuts. Er is zelfs een cowboyhoed bij. De meeste kinderen hebben ook nog een omslagdoek, of een sjerp om hun middel. Maar het mooist vinden ze hun lampjes. Ze lopen voorzichtig in een feestelijke rij. Anouk kiest een slingerende route door de tuin. Geen paadje slaat ze over.

Sophie tuurt naar de gezichten van de kinderen. Ziet ze iets bekends? Is er een meisje van zeven jaar bij? Dat kunnen er zeker drie zijn. Ze voelt een ongedurigheid die haar belet om van het schouwspel te genieten. Kijk nou toch, vermaant ze zichzelf, doe net alsof ze allemaal bij jou horen. Dat heeft al eerder gewerkt. Ik hou van jullie, stuk voor stuk, denkt ze. Kostbare, kleine mensen. Ze voelt de spanning uit haar lichaam wegebben en kijkt ontspannen naar de sliert kinderen met hun lichtjes. Even denkt ze aan Sneeuwwitje en de zeven dwergen. Een sprookje waar ze als kind graag naar luisterde.

De optocht gaat naar het achterste gedeelte van de tuin. En dan verdwijnt Anouk door de poort in de coniferenheg. Plotseling zijn ze allemaal verdwenen. Het overvalt Sophie. Ze ging zo op in de groep kinderen en nu zijn ze weg! Even voelt ze een vleugje melancholie. Niet lang. Je bent mal, zegt ze in zichzelf, ze komen zo terug. En dat gebeurt. Na vijf minuten, die haar onwerkelijk lang vallen, komen ze weer tevoorschijn door het poortje in de heg. Achteraan loopt de lange man, de vader. Hij houdt een tegenstribbelend joch aan zijn hand. Oei, daar is iets gebeurd in de achterste tuin. Is dat ventje ondeugend geweest? Zo te zien wel. En is de grote tovenaar toen te hulp geschoten om het onheil te bezweren en de tocht in goede orde te laten verlopen? Sophie glimlacht om zichzelf, verbaasd dat het kinderspel haar zo veel doet. Iets in haar is dolblij dat de kinderen allemaal terug zijn en vrolijk zingend over de paden wandelen.

Het wordt stil in de tuin. Op het terras brengt een meisje koffie rond.
'Hebt u genoten, mevrouw Koster?'
'Het was prachtig. Wat doen die kinderen een leuke dingen.'
'Ja, vanmiddag hebben ze al die lampjes geknutseld. Gewoon van jampotjes. Anouk is geweldig.'
Dat vindt Sophie ook. Vanmorgen deed ze nogal bits tegen Robin, maar zojuist heeft ze zich van haar beste kant laten zien.
Sophie drinkt haar koffie en vraagt zich af waardoor de kinderoptocht haar zo raakte. Ze weet het antwoord al. Jarenlang heeft ze haar gemis weggestopt. Geen tweede kind, geen kleinkinderen. Zolang Wilbert nog in haar leven was, moest ze dat verdriet wel ergens opbergen, zodat het haar niet eindeloos bezeerde en onderuithaalde. Maar juist nu ze Norberts kinderen hoopt te vinden, komt de pijn van het gemis ook om de hoek kijken.
Robin komt naast haar zitten. Hij krijgt ook koffie.
'Ik heb geloof ik iets gemist,' zegt hij. 'Was het mooi?'
'Ja, het was mooi.'
'Wat ben je stil,' zegt hij na een poosje.
'Ja.'
Tien minuten later kijkt hij om zich heen naar de vrolijk pratende mensen.
'Zullen we een eindje wandelen? Naar de rozentuin of zo?'
Ze knikt en staat op. Hier, tussen al die mensen, zou ze nooit durven vertellen wat haar bezighoudt. Maar ze wil het wel aan Robin kwijt. Hij zal het begrijpen. Of toch niet? Tenslotte is hij een man. Ach, niet alle mannen zijn zoals Wilbert, Robin zeker niet.
In de rozentuin zijn ze helemaal alleen. Vanaf het terras kunnen

ze ook niet gezien worden.

'Zat je te piekeren?' vraagt hij.

'Ik dacht aan vroeger, toen we nog niet zo lang getrouwd waren. We hadden een zoon, Norbert. Ik wilde graag nog een tweede kind. Maar Wilbert was daar fel op tegen. Zodoende bleef het bij één.'

Robin zegt niets, hij voelt dat er nog meer komt.

'Toen Norbert volwassen was, kwam hij bij Wilbert in de zaak. Ze kregen na een paar jaar een fikse ruzie. Wilbert heeft onze zoon uit de zaak gezet en heeft volledig met hem gebroken. Hij was bij ons thuis ook niet meer welkom.'

'Kon jij hem opzoeken in zijn eigen huis?'

'Dat vond Wilbert niet goed, hij verbood het me ronduit.'

Een poosje lopen ze zwijgend verder. De rozen geuren, maar op dit moment geeft het Sophie geen troost.

'Zocht je zoon contact met jou?'

'Nee. We kregen zelfs geen bericht toen hij ging trouwen. Een paar jaar geleden is hij gescheiden. En nu woont hij in de Verenigde Staten.'

'En zijn vrouw? Zijn ex, bedoel ik.'

'Die woont in Arnhem.'

'Haar heb je dus nog nooit ontmoet.'

'Nee, maar verleden maand vertelde iemand me dat ze de eerste weken van de schoolvakantie in De Wilde Roos ging logeren. Tenminste, waarschijnlijk is zij het. Ik weet het niet eens zeker.'

Robin probeert zich de situatie voor te stellen.

'Met een kind? Kinderen?'

'Ja, in ieder geval één.'

'Dit is voor jou dus een soort ontdekkingsreis.'

Ze lacht.

'Zo kun je het wel zien. Maar waar ik uitkom, dat weet ik niet. Misschien is ze wel woedend op ons. Op mij dus ook.'

Ze gaan zitten op de kleine, elegante stoeltjes achter in de rozentuin. Robin zou haar moed in willen spreken, zeggen dat het vast wel goed komt. Maar dat vindt hij toch te goedkoop. Bovendien weet hij uit eigen bittere ervaring hoe rancuneus mensen kunnen zijn, hoe weinig bereid tot verzoening.

'Je zou wel een heel lieve oma zijn,' zegt hij, terwijl hij even zijn hand op haar arm legt.

Sophie krijgt het te kwaad. Ze zoekt haar zakdoek. Robin zit rustig naast haar zonder nog iets te zeggen.

Over het pad komen voetstappen. Meer mensen weten deze fijne plek te vinden. Het zijn de musjes. Sophie verstrakt. De dames kijken verbaasd naar het tweetal.

'Hé, zit ú hier?' vraagt de eerste.

Sophie voelt boosheid opkomen. Dit is natuurlijk ook weer hun eigen plekje. Ze waagt het niet om een antwoord te geven, want op dit moment zou ze alleen maar dingen zeggen waar ze later spijt van zou krijgen. Gelukkig weet Robin wel raad.

'Wie had u anders gedacht?'

Daar moeten de dames een poosje over nadenken. Ze snijden een veiliger thema aan.

'Wat een prachtige tuin, vindt u niet?'

'Ja, schitterend.'

Sophie realiseert zich dat ze geen van beiden erg op de rozen hebben gelet. Wat ze Robin toevertrouwde nam hun aandacht volledig in beslag.

'Kent u elkaar al lang?' vraagt het eerste musje.

Sophie wordt razend. Ze spant zich tot het uiterste in om dat niet te laten merken. Robin geeft antwoord.

'Vanaf de dag dat de aarde zich tooide met bloemen.'

Met deze uitspraak weten de musjes zich kennelijk geen raad.

'Kom Anna, we gaan weer eens.'

Schutterig lopen ze verder. Sophie slaakt een diepe zucht. Robin grinnikt.

'Waar de menselijke overwegingen ons verwarren, biedt de poëzie ons een begaanbaar pad.'

'Je bent een dichter, Robin.'

'Vanmorgen was ik een beeldhouwer. Ik ben benieuwd wat ik morgen ben.'

'In elk geval ben ik je dankbaar dat je naar me geluisterd hebt.'

'Verder kan ik niks voor je doen. Dit is een klus die je zelf moet zien te klaren. Dat gaat je wel lukken, denk ik.'

Ze blijven lang zitten, zonder nog veel te zeggen.

5

Sophie wordt met moeite wakker uit een slaap vol benauwde dromen. In één daarvan haastte ze zich door een schemerig bos. Ver voor haar uit holde een groep kinderen. Er dreigde van alle kanten gevaar voor hen. Ze wilde hen waarschuwen, hen toeroepen dat ze terug moesten komen. Maar haar stem deed het niet. Ergens tussen de bomen stond een boze reus op de loer. Nog even en hij zou tevoorschijn komen. Ze wilde sneller lopen, maar haar benen waren loodzwaar.

Sophie weet best waar die dromen vandaan komen. Ze was zo vol van het kinderspel, de vorige avond. Toen kwam er nog het gesprek met Robin achteraan. Gelukkig zei hij niet zo veel. Des te meer begreep hij wat het voor haar betekende. 'Je zou wel een heel lieve oma zijn.' Betere troost was er niet.

Robin Harper. Ze kent hem pas een paar dagen, maar het lijken jaren. Ze is er steeds verwonderd over hoe behoedzaam hij met andere mensen omgaat. Met haar, met Anouk. En eigenlijk ook met de musjes. Hij wees hun hun plaats, dat wel. Maar zonder hen te kwetsen. Met Robin voelt ze zich veilig. Sophie realiseert zich dat ze, als Wilbert in de buurt was, altijd op haar hoede was. Voorzichtig in haar woorden, voorzichtig in haar gedrag, altijd eropuit hem tevreden te stellen. Nooit kon ze de deur van haar hart openzetten. Hij zou haar afwijzen, kleineren. Het enige wat ze voor hem kon doen, was goed voor hem zorgen. Zoals hij ook altijd goed voor zichzelf zorgde. De duurste auto, het beste restaurant, fijne kleren. Op dezelfde manier zorgde hij ook voor haar. Want hij wilde een vrouw aan wie niets mankeerde, een volmaakt wezen.

Sophie schaamt zich dat ze daar zo veel jaren in is meegegaan. Ze kon niet anders, maar toch. Door Wilbert zo volledig over haar leven te laten beslissen, heeft ze zichzelf tekortgedaan. Nu, liggend in haar omwoelde bed, verwijt ze het zichzelf en neemt ze zich voor haar leven nu echt in eigen hand te nemen.

Dat geldt ook voor vandaag. Er is niemand die haar tot iets verplicht. Ze mag alle uren van de dag zelf invullen. Ze stapt uit bed en trekt de gordijnen open. Het is een grijze, regenachtige dag.

De tuin beneden haar ziet er verlaten uit. Sommige bloemen zijn gaan hangen. Het vocht druipt van de bladeren. Als het mijn tuin was, zou ik er op dit moment niet in gaan werken, denkt ze. Binnen een halfuur zou ik drijfnat zijn. Ze probeert te bedenken hoe ze dat vroeger deed, toen ze in dat zonnige huis met die fijne tuin woonden. Opeens weet ze het weer. Er stond een klein kasje tegen een van de zijmuren. Daar was altijd wel iets te doen. Plantjes verspenen, zaden en vruchten verzamelen, gereedschap schoonmaken. Haar droomtuin wordt op staande voet voorzien van een kas. Niet zo'n heel kleine. Ze fantaseert over de inrichting. Een werkbank met een paar krukjes. Kisten vol potten. Een plank met stekpoeder, plantenmest, bestrijdingsmiddelen. Een druif tegen een van de wanden en onder het dak, zodat ze in het najaar onder de rijpe trossen kan zitten. Ze kleedt zich neuriënd aan. Een kas! Ze verheugt zich er nu al op.

Na het ontbijt gaat ze naar de leestafel in de kleine zaal. Daar liggen altijd kranten. Misschien zijn er wel recreatiekrantjes bij, waar bezienswaardigheden uit de omgeving worden aangeprezen. Ze wil tuinen gaan bezichtigen. In dit gedeelte van het land zijn er heel wat, dat herinnert ze zich van vroeger. En bij de grote landgoederen zijn meestal ook kassen. Dus als het blijft regenen is dat een mooi uitstapje voor vanmiddag. Ze noteert een paar adressen en bladert dan de andere kranten door. Het wereldnieuws is als altijd vol tegenstellingen. Honger in Ethiopië, een koninklijk huwelijk in Engeland, demonstraties die in bloed worden gesmoord. 'De roerige jaren tachtig', staat er boven een artikel. Zeker, denkt ze, maar waren de jaren zeventig minder roerig?

Ze gaat naar haar kamer om de kaart van de omgeving te halen. Op de bovengang is een meisje aan het stofzuigen, waarbij ze uit volle borst een smartlap zingt. Het doet Sophie goed. In de deftige hotels waar ze vroeger met Wilbert kwam, zou zulk gezang waarschijnlijk niet getolereerd worden.

Bij de lunch zit ze alleen aan haar tafeltje. Robin is naar zijn havezate. In gedachten ziet ze hem gebogen over enorme plattegronden vol lijnen en aantekeningen. Wat komt er veel kijken bij de restauratie van een oude tuin!

'Er is telefoon voor mevrouw Van Groenendael.'

Meneer De Wilde staat bij de deur naar de hal.

'Is hier een mevrouw Van Groenendael? Er is telefoon. Het is dringend.'

Sophie schrikt overeind en haast zich naar de deur. Wie kan haar hier bellen? Boukje misschien? Meneer De Wilde gaat haar voor naar het kantoor, wijst haar de telefoon en laat haar dan alleen.

'Met Sophie,' zegt ze.

'O, mevrouw Van Groenendael, wat een geluk dat ik u te pakken heb.'

Het is Agnes.

'Wat is er aan de hand?'

'Vanmorgen ben ik van een trapje gevallen en toen heb ik mijn enkel gebroken. Nu ben ik in het ziekenhuis. Ze hebben er gips omheen gedaan. Ik moet een paar dagen blijven.'

'Wat vervelend voor je, Agnes. Heb je veel pijn?'

'Dat gaat wel. Maar nu kan ik niet voor uw planten zorgen en voor de post en zo.'

'Dat is het minst erge. Word jij nou eerst maar beter.'

'Maar hoe moet het dan bij u thuis?'

'O, daar verzin ik wel iets op.'

'Als u maar niet eerder van vakantie terugkomt. Dat zou ik niet goedvinden.'

Sophie glimlacht. Trouwe, zorgzame Agnes. Als het moest zou ze haar man nog sturen, al heeft die volstrekt geen verstand van planten. Van geen enkele huishoudelijke bezigheid trouwens. Hij heeft Agnes immers.

'Weet je, ik zal het aan mevrouw Tadema vragen. Die wil het vast wel een weekje waarnemen.'

'O, dat is een goed idee. Heeft ze de sleutel van uw huis?'

Nounou, denkt Sophie, die enkel mag dan gebroken zijn, met de rest is het dik in orde. Dat ze zelfs nu nog aan een sleutel denkt!

'Ja, en ze kent de code. In welk ziekenhuis lig je?'

'Bergwegziekenhuis. U moet mij niet op komen zoeken, hoor.

Dat is jammer van uw vakantie.'

Sophie schudt haar hoofd. Wanneer zal deze vrouw eens aan zichzelf denken?

'Ik stuur je een bloemetje, mag dat? En beterschap, hoor, laat je maar lekker vertroetelen.'

Sophie gaat terug naar het restaurant en eet rustig verder. Straks zal ze Boukje eens bellen. Die wil vast wel een ritje naar het ziekenhuis maken en namens haar een zak druiven bij Agnes brengen.

Ze heeft niet in de gaten dat enkele mensen in de zaal haar nieuwsgierig aanstaren. Dringend telefoon, dat klonk nogal alarmerend. Nou, een sterfgeval is het in ieder geval niet, zo te zien.

Sophie staat bij de lift. Een stem, bijna verlegen, klinkt achter haar.

'Neemt u me niet kwalijk, maar mag ik u iets vragen?'

Het is een van de drie moeders. Ze heeft vrolijke, groene ogen, een rechte neus en een mond die graag lacht. Haar kastanjebruine haar valt tot op haar schouders. Ze draagt een spijkerjasje op een donkerblauwe linnen broek.

'Heet u mevrouw Van Groenendael?'

Sophies hart slaat ineens op hol.

'Ja, tenminste, zo heette mijn man.'

Sophie verbaast zich over zichzelf. Met dit antwoord schuift ze Wilbert subiet naar het verleden.

'Ik ben Marjolein Schut. Mijn man was ook een Van Groenendael.'

Iets in Sophie begint te zingen. Ze is het, ja, ze is het vast en zeker.

'Ik ben Sophie Koster. Zullen we erbij gaan zitten?' Ze wijst naar de stoelen naast de buitendeur. 'Daar is het wel rustig.'

Als ze zitten vraagt Sophie op de man af: 'Was je de vrouw van Norbert?'

'Ja. Hoe weet u dat? Bent u… bent u zijn moeder soms?'

'Ja, ik ben zijn moeder.'

'Maar dat is geweldig! Alleen begrijp ik niet… wat is dit toevallig.'

'Minder toevallig dan je denkt.'

Als Sophie het open gezicht tegenover zich ziet, valt al haar angst om afgewezen te worden weg. Niets hoeft ze te verbergen voor deze vrouw.

'Ik zal proberen het uit te leggen. Toen mijn man en Norbert een paar jaar zakenpartners waren, kwam er een heftige ruzie. Wilbert brak volledig met onze zoon. Hij zette hem uit de zaak en wilde hem daarna nooit meer ontmoeten. Zo raakte ook ik mijn zoon kwijt.'

Marjolein knikt. 'Ik heb zoiets begrepen.'

'Wilbert verbood me om contact te onderhouden met Norbert. Ik ben hem daarin ter wille geweest. Misschien was dat wel slap van me. Maar Wilbert was eh… buitengewoon ongemakkelijk.'

'Norbert was ook niet zo meegaand.'

Door die paar woorden is er opeens herkenning, begrip. Ze glimlachen naar elkaar.

Sophie vertelt hoe ze de afgelopen jaren gedroomd heeft over een schoondochter, kleinkinderen.

'Durfde u niet naar ons op zoek te gaan?'

'Nee. Als Wilbert erachter kwam, zou het huis te klein zijn. En bovendien wist ik niet hoe jij zou reageren. Misschien heeft Norbert ons wel afgeschilderd als vreselijke ouders, die je maar beter niet in je buurt kunt hebben.'

Marjolein staart naar buiten.

'Norbert had het wel over zijn vader. Die kon hij wel schieten. Over zijn moeder heb ik hem bijna nooit gehoord.'

Zie je wel, denkt Sophie, in zekere zin bestond ik niet. Noch voor Wilbert, noch voor Norbert.

'Een paar jaar geleden zijn Norbert en ik uit elkaar gegaan,' zegt Marjolein. 'Begrijp ik goed dat u hetzelfde hebt meegemaakt? Omdat u uw meisjesnaam gebruikt?'

Sophie schudt haar hoofd.

'Wilbert is in de afgelopen winter overleden. Heel plotseling. Maar zou je me alsjeblieft Sophie willen noemen?'

Marjolein schiet in een zenuwachtige lach.

'Dat had ik niet verwacht toen ik vanmorgen opstond. Mijn schoonmoeder ontmoeten en haar ook nog bij de naam noemen.'

'Ik zou het erg fijn vinden. En het past ook in deze tijd, is het niet?'

'Ja, dat is zo. Het formele is er helemaal af.'

'Hoeveel kinderen heb je, Marjolein?'

'Twee. Tessa is zeven en Peter vijf. Wat zullen ze het leuk vinden om opeens een oma te hebben.'

'Dat hoop ik maar.'

'Ieder kind wil toch grootouders.'

'Heb jij geen ouders meer?'

'Nee, toen ik trouwde waren ze al overleden. Maar nu weet ik nog steeds niet hoe je hier bent gekomen. Het was geen toeval, zei je?'

'Dat zal ik je vertellen.'

Op dat moment komen er twee kinderen aanhollen.

'Mama, waar zat je? Ik was je kwijt.'

Een meisje met donker haar en bruine ogen klemt zich aan Marjolein vast. Naast haar staat een jongen die rossig blond haar heeft. Zijn helblauwe ogen kijken onderzoekend van zijn moeder naar de vrouw die naast haar zit.

Marjolein slaat een arm om haar dochter heen.

'Je weet best dat ik nooit kwijt ben, Tessa. Ik zit hier even te praten. Weet je wie dit is?'

De kinderen knikken. Ja, deze mevrouw hebben ze gezien op de bank bij het speelveld.

'Dit is de moeder van papa Norbert.'

De jongen zegt het niets. Met een ongeïnteresseerd gezicht kijkt hij naar Sophie. Tessa denkt een poos na. Dan dringt het tot haar door.

'Ben jij dan mijn oma?'

'Je moet u zeggen,' vermaant Marjolein.

'Ze mogen best tutoyeren,' zegt Sophie, 'dat vind ik wel zo prettig.'

'Je hebt het goed, Tessa. Dit is jullie oma,' zegt Marjolein vrolijk.

De kinderen bekijken hun nieuwe familielid nieuwsgierig. Sophie beseft dat ze voor hen een vreemde is, iemand uit de wereld van al die grote mensen om hen heen. Wat had ze dan verwacht? Dat ze haar meteen om de nek zouden vliegen?

72

'Het is onwennig, hè,' zegt Marjolein. 'Voor ons allemaal.'

Sophie moet haar gelijk geven, ook voor haar geldt het. Deze kinderen zijn onbekenden. Na al haar dromen over kleinkinderen voelt dat als een tegenvaller.

'Ik heb jouw opa ook gezien,' zegt de jongen dan. 'Hij maakt beeldjes.'

'Die opa hoort niet echt bij mij,' legt Sophie uit, 'hij is een goede vriend.'

Het interesseert Peter allang niet meer.

'We willen met de lego spelen,' zegt hij tegen zijn moeder.

'Wie zijn we?'

'Ik en Rik. In onze slaapkamer.'

'Geen sprake van. Jullie mogen best met de lego, maar op een plek waar ik jullie kan zien.'

'Waar is dat dan?'

'Vraag maar aan Jessica of je een tafel in de kleine zaal mag gebruiken. Dan kom ik daar ook. En wat ga jij doen, Tessa?'

'Janneke wil met mij met de barbies.'

'Dat lijkt me prima.'

Marjolein komt overeind.

'Zullen we eens kijken of Jessica er is? Sophie, zullen we verder praten in de kleine zaal?'

'Ja, graag. Ik moet eerst nog iemand bellen. En dan vind ik je daar wel.'

Boukje Tadema is verrast dat Sophie zo veel nieuws heeft, leuk en minder leuk.

'Eerst maar het minder leuke,' zegt Sophie. 'Die arme Agnes ligt met een gebroken enkel in het ziekenhuis. Haar grootste zorg is dat ze nu niet op de planten kan passen. Zou jij dat van haar willen overnemen?'

'Als Agnes voldoende vertrouwen in me heeft.'

'Ze zal wel moeten. Ik in ieder geval wel. En wil je haar een bakje fruit brengen namens mij?'

'Natuurlijk. En nu wil ik het leuke nieuws horen. Heb je je schoondochter ontmoet?'

'Geraden.'

'En, hoe lijkt dat?'

'Een geweldig mens. Geen spoor van rancune. Ze heeft met Norbert net zo'n moeizame relatie gehad als ik met Wilbert. Zonder er veel over te zeggen begrepen we elkaar.'

'Sjonge. Hoe ging het verder?'

'Ze heeft twee kinderen. Peter is vijf en Tessa zeven. Dat is dus het vriendinnetje van Maaike.'

'En zo is de kring rond, Sophie. Heb je de kinderen al ontmoet?'

'Ja, heel kort. Eerlijk gezegd is het best onwennig tussen oma en de kleinkinderen. Heel anders dan met Marjolein. Het klikte meteen tussen ons.'

'Dan komt de rest vanzelf. Ik ben heel blij voor je, Sophie.'

In de kleine zaal heeft Marjolein een plekje gezocht waar ze zicht heeft op de twee spelende jongens. Vlak bij haar, op een bank vol gekleurde kussens, zijn Tessa en haar vriendinnetje de barbiespullen aan het uitpakken.

'Je hebt je strategisch opgesteld,' lacht Sophie.

'En dat valt niet altijd mee. Want ik moet Peter in de gaten houden, en Tessa wil haar moeder niet uit het oog verliezen. Kom erbij.'

Een poosje kijken ze naar de spelende kinderen. Dan vertelt Sophie over het gedoe met Agnes.

'Ik heb dus een vriendin opgebeld. En die heeft beloofd dat ze de wacht zal overnemen.'

'Waar woon je eigenlijk?'

'In Rotterdam.'

Grappig is dat, ze weten nog bijna niets van elkaar.

'Die vriendin heet Boukje Tadema,' gaat Sophie verder. 'Zij en haar man zijn een enorme steun voor me geweest in het afgelopen halfjaar, na het overlijden van Wilbert. Door Boukje ben ik hier in dit hotel terechtgekomen.'

'Ik ben benieuwd.'

'Boukje heeft een veel jongere zus, Hilde. Die woont in Arnhem met haar man, drie grote jongens en een nakomer. Een meisje, Maaike. Maaike gaat graag logeren bij haar oom en tante in Rotterdam. En zij vertelde hun dit voorjaar over haar nieuwe vriendinnetje, Tessa van Groenendael. Toen gingen er natuurlijk belletjes rinkelen bij Boukje. Ze wist dat ik me vaak afvroeg of ik kleinkinderen had. Dus heeft ze er met Hilde over gepraat. En Hilde heeft haar oren goed opengehouden. Toen ze hoorde waar jullie deze zomer met vakantie gingen, hebben de gezusters dit naar mij doorgeseind. En ik heb de stap gewaagd, ik heb hier ook een vakantie geboekt.'

Marjolein schiet in de lach.

'Briljant, Sophie.'

'Nou ja, eerlijk gezegd heeft Hilde dit bedacht.'

'En haar zus heeft je over de streep getrokken.'

'Zo ging het inderdaad. Ik vond het best spannend. Maar nu ben ik blij dat ik het heb ondernomen.'

'Waarom was het spannend?' vraagt Marjolein. 'Je had toch niets te verliezen?'

'Misschien zou mijn schoondochter me niet willen kennen.'

'Ik zou wel mal zijn, Sophie. Wie zou er niet graag met jou omgaan?'

Het maakt Sophie verlegen. Daarom gaat ze over op een ander thema.

'Die groep met wie je gekomen bent, vertel daar eens iets over.'

'We wonen allemaal in Arnhem. Maar we hebben elkaar in De Wilde Roos leren kennen.'

'Van wie zijn al die kinderen nou eigenlijk?'

Marjolein lacht.

'Het loopt allemaal door elkaar. Maar om het precies te zeggen, dit tweetal van mij ken je nu. Anouk is getrouwd met Harro. Hij heeft nog geen vakantie maar hij komt in het weekend. De twee kleinsten zijn van hen.'

'En al die andere kinderen?'

'Die zijn van Huib en Dorien. Twee van henzelf en drie pleeg-kinderen.'

'Alsjeblieft, petje af!'

'Ze doen het geweldig goed.' Marjolein kijkt naar de twee meisjes, een donkere en een helblonde, die helemaal opgaan in hun barbies. 'Janneke, die hier met Tessa speelt, is een van de drie. Ze heeft een vreselijke tijd gehad vóór ze bij Huib en Dorien kwam. Maar nu komt ze tot rust en heeft ze weer wat vertrouwen in de mensheid.'

'En zo te zien ook in Tessa.'

'Ja, ze zoeken elkaar vaak op. Ze zijn allebei wat verlegen, maar ze kunnen enorm goed opschieten met elkaar.'

Sophie kan het zich voorstellen.

'Mag ik naar Norbert vragen?'

'Ja, natuurlijk.'

'Hebben jullie nog contact?'

'Nauwelijks. Hij doet grote zaken in de Verenigde Staten. Met Kerstmis stuurt hij dure cadeaus naar de kinderen. En hij heeft geld voor hen vastgezet, zodat ze later kunnen studeren. En hij betaalt natuurlijk alimentatie voor de kinderen. In materieel opzicht ontbreekt er niets aan.'

Dat herkent Sophie.

'Missen de kinderen hem?'

'In zekere zin niet. Misschien missen ze een vaderfiguur. Vooral bij Peter zou dat kunnen spelen.'

'En mis jij hem nog weleens?'

'Eerlijk gezegd niet. Het voelde als een opluchting toen we uit elkaar gingen. Al was het geen gemakkelijke tijd. Toen hij naar Amerika vertrok, voelde ik me nog vrijer. Vind je het erg dat ik dat zeg?'

'Helemaal niet. Zo is het toch?'

Sophie kent diezelfde opluchting. Eerst schaamde ze zich ervoor. Maar nu weet ze dat dat onterecht is. Wilbert heeft haar leven ingeperkt, bijna al die veertig jaar. Haar verlangens heeft hij doodgedrukt, zonder te beseffen wat hij haar aandeed. Als Wilbert er nog was geweest, dan zat ze nu niet hier te praten met haar schoondochter en te kijken naar Tessa en Peter.

'Vertel me eens iets over je werk, Marjolein.'

'Ik geef Engels op een middelbare school.'

'Hoe vind je dat?'

'Ik doe het graag. De meeste kinderen zijn gemotiveerd. Al heb je er natuurlijk bij die alleen maar keet willen schoppen.'

'Prettige collega's?'

'O ja. Je kunt met elkaar de problemen bespreken. Er is geen rivaliteit, zoals ik dat hoor van andere scholen. Een bijkomend voordeel is dat ik vrijwel dezelfde vakanties heb als Tessa en Peter. Dat is met een kantoorbaan wel anders. En waar hou jij je graag mee bezig?'

'Het laatste halfjaar was heel hectisch. Toen Wilbert er nog was, ontvingen we zakenvrienden. En we gingen naar de schouwburg en zo. Ik deed ook vrijwilligerswerk.'

Marjolein wacht rustig af. Haar schoonmoeder is zulke gesprekken waarschijnlijk niet gewend.

'Wat wil je nu gaan doen?'

Sophie lijkt op te schrikken uit moeilijke gedachten.

'Eerlijk gezegd zou ik graag kleiner gaan wonen. Maar wel een huis met een flinke tuin.'

'Ben je al op zoek?'

'Nee, hct idee is er nog maar net.'

'Kom onze kant op, Sophie. Wij zullen het prettig vinden als we je regelmatig kunnen zien.'

Sophie is verrast. Meent ze dat nou? Of wil ze alleen maar aardig doen? En zouden de kinderen het ook fijn vinden?

'Of heb je veel binding met Rotterdam?'

'Nee. Alleen de Tadema's. Maar die trekken ook regelmatig naar Arnhem.'

'Hier in het dorp is een makelaarskantoor,' zegt Marjolein. 'Ga daar eens kijken.'

Sophie schiet in de lach.

'Nounou, jij weet van aanpakken.'

'Je moet ergens beginnen, dan groeit het idee vanzelf.'

'Dat is waar. Ik heb helemaal geen ervaring met huizen kopen.'

'Het lijkt me niet moeilijk. Je moet er de tijd voor nemen. En die tijd gaat nu in.'

'Je bent een moderne, snelle vrouw.'

'Je weet niet half.'

'Ik heb alleen nog maar gedroomd van een huis met een tuin. Gelukkig dat jij er bent, anders bleef het misschien wel een droom.'

Sophie krijgt opeens twee barbiepoppen op schoot.

'Die mogen bij oma logeren,' zeggen de meisjes.

'Zet je maar schrap,' lacht Marjolein, 'nu weet je tenminste dat er in je nieuwe huis een logeerkamer moet zijn.'

Sophie krijgt tranen in haar ogen. Zo veel acceptatie! Dat heeft ze nog nooit meegemaakt.

De thee wordt rondgebracht.

'Om vier uur heeft Anouk haar knutseluurtje met de kinderen,' zegt Marjolein. 'Ik help daar een handje.'

'Anouk is heel creatief, geloof ik.'

'O ja, ze heeft zulke originele ideeën. Gelukkig mogen we van mevrouw De Wilde in de bijkeuken zitten. Daar kunnen we naar hartenlust verven en plakken. Er is ruimte genoeg, het heeft ook iets van een schuur. De familie De Wilde is altijd zo hartelijk voor de kinderen.'

'Hebben ze zelf geen kinderen?'

'Alleen een zoon van een jaar of twintig. Die zwerft ergens door Australië.'

Na de thee rijdt Sophie naar het dorp, nog helemaal onder de indruk van Marjoleins praktische aanpak. De tijd gaat nu in.

Het makelaarskantoor is op de Brink. Sophie stapt er binnen en geeft aan dat ze even wil kijken. Ze wandelt langs de wand vol foto's. Allemensen, wat een informatie. De meeste woningen vallen meteen af. Saaie rijtjeshuizen, bedrijfsgebouwen, huizen die pal aan de weg staan. Ze zoekt vooral groen. Groen waar een dak tussendoor gluurt.

Je bent heel onpraktisch bezig, Sophie, zegt ze tegen zichzelf. Eigenlijk zou Marjolein mee moeten kijken.

'Zoekt u iets speciaals?' vraagt de man van het kantoor.

Hij heeft vast gezien dat ik een sukkel ben wat het kopen van een huis betreft, denkt Sophie. Ik kan toch moeilijk zeggen dat ik dit nog nooit bij de hand heb gehad.

'Een niet al te kleine woning,' antwoordt ze, denkend aan de logeerkamer. 'En met een flinke tuin erbij. Niet vlak bij een drukke straat.'

'Zoekt u iets in het buitengebied?'

Dat klinkt heel aantrekkelijk.

'Eventueel. Maar niet te ver van de bewoonde wereld.'

De makelaar wijst naar een beeldschone villa met terrassen. Langs de oprijlaan en de gladgeschoren gazons bloeien rododendrons. Dat huis heeft vast wel tien slaapkamers, denkt Sophie. Het ziet er allemaal zo voornaam uit, zo helemaal af. Daar zou ze direct in kunnen trekken en alles zou aanwezig zijn. Het staat haar heftig tegen. Dan kan ze net zo goed in Rotterdam blijven wonen. Ze wil een huis dat ze naar eigen smaak heeft ingericht, ze wil een tuin die ze naar haar hand kan zetten. Tegen dit pronkstuk zegt ze nee.

'Het is veel te groot. Ik wil juist iets kleiner gaan wonen.'

De makelaar knikt begrijpend. 'Zo'n huis als dit vraagt natuurlijk ook veel onderhoud.'

Daar gaat het niet om, denkt Sophie, het huis is aanmatigend, het kijkt op je neer.

'Welke prijsklasse hebt u in gedachten?'

Sophie bloost als een schoolmeisje. Ze hoopt dat de makelaar het niet ziet. Ze weet niets van prijzen, ze heeft nog niet eens gekeken wat er op die kaartjes stond. O, wat een onnozele kip is ze toch. Ik verdien het, hoort ze Wilbert zeggen, zorg jij nou maar dat je het uitgeeft.

'De prijs is niet het eerste waar we aan denken.'

Zo hoort de makelaar het graag. Hij wijst nog een paar mooie huizen in het groen aan en geeft Sophie de kaartjes mee waarop een foto met wat info. Plotseling ziet ze een kleine boerderij met een bloementuin ernaast. Maar daar is ze geweest, daar zat een vrouw te schilderen onder haar zonnehoed. Ze kijkt nog eens goed. Ja, dat moet het zijn. Stond er een bord bij dat huisje?

'Hier moet erg veel aan gebeuren,' waarschuwt de makelaar, 'daardoor is de prijs zo laag. Maar in gerenoveerde staat zal het een juweeltje zijn.'

Sophie neemt het kaartje uit de houder.

'Staat het al lang te koop?'

'Nee, pas een paar weken. Deze boerderijtjes zijn heel gewild bij mensen uit het westen.'

Dat wil ze graag geloven. Iets van haar droom kwam ze er verleden week tegen. Niet dat ze de behoefte heeft een oud huisje op te laten knappen. Maar haar droom neemt ze wel mee. Ze pakt het kaartje en stopt het met de andere foto's in haar tas. Ze bedankt de makelaar en loopt naar de uitgang van het kantoor. De deur wordt beleefd voor haar opengehouden.

'Tot ziens, mevrouw.'

'Tot ziens en dank u wel.'

In het hotel op de Brink drinkt ze een kop koffie om even bij te komen. Ze haalt de kaartjes uit haar tas en bekijkt ze op haar gemak nog een keer. Dan bestudeert ze de route naar een van de landhuizen waarvan de tuin toegankelijk is. Het is niet moeilijk te vinden. Iets voorbij de oprijlaan moet ze parkeren. Daar loopt meteen een voetpad het bos in. Er staan onopvallende bordjes die een route aangeven. Arboretum. Waterval. Tuinen. Ze kiest voor de tuinen. Die andere dingen komen later wel, denkt ze en meteen schiet ze in de lach. Weet je zeker dat je hier terugkomt? Rotterdam is ver, hoor. Ja, belooft ze zichzelf, dat arboretum en die waterval ga ik beslist ook eens opzoeken.

De tuin is aangelegd in de Engelse stijl. Slingerpaden, gazons, groepen heesters en prachtige borders. Een tuinman en een jong knechtje zijn aan het werk, verder is er niemand. Sophie vraagt zich af of de regen de mensen heeft weggehouden. Het is nu droog, maar er drijven nog grijze wolken langs de hemel. De tuin ziet er fris uit. Ze neemt de tijd om overal naar te kijken. De bijzondere heesters, de borders met hun combinaties in kleuren en vormen. De doorkijkjes, sommige met zicht op een beeld. Een klassieke zonnewijzer. Vanavond moet ze er toch iets van kunnen vertellen aan Robin.

Vanavond! Ze kijkt op haar horloge en schrikt. De hoogste tijd om terug te gaan.

Robin zit al aan hun tafeltje, een glas spa in zijn hand.

'Ik was al bang dat je niet meer met me wilde tafelen.'

'Dan zou ik dat zeker van tevoren tegen je zeggen.'

'Je bent echt een dame, Sophie.'

Lachend eten ze hun soep. Er zit een raar smaakje aan, maar

Sophie wil er niks van zeggen. Robin schijnt niet eens te proeven wat hij eet. Hij werkt de soep in een rap tempo naar binnen en vraagt dan: 'Wat heb je beleefd vandaag?'

'Erg veel. Ik heb kennisgemaakt met mijn schoondochter.'

Zijn donkere ogen beginnen te schitteren.

'Het geheim is ontrafeld. Hoe heb je het ontdekt?'

'Ik heb niets ontdekt. Bij de lunch was er telefoon voor me.'

Sophie vertelt hoe Marjolein naar haar toe kwam en vroeg of ze Van Groenendael heette.

'Aha, de ontmaskering. En, konden jullie het met elkaar vinden?'

'Heel goed.'

'Kinderen?'

'Twee. Zeven en vijf jaar. Die moesten erg aan het idee wennen.'

'Allicht. Ben je nu gelukkig?'

'Reken maar.'

Het hoofdgerecht wordt opgediend. Sophie vertelt over haar bezoek aan de makelaar.

'Ik wil kleiner gaan wonen. En Marjolein vindt dat ik deze kant uit moet komen. Dat trekt me wel.'

Ze haalt de kaartjes uit haar tas en legt ze op tafel. Robin bekijkt ze aandachtig.

'Als je dit kleiner noemt, dan ben ik benieuwd hoe je nu woont.'

'Veel te groot.'

Het laatste kaartje is van het boerderijtje.

'Hé, wat een charmant woninkje. Wel een beetje bouwvallig. Is dit huisje ook in de race?'

'Nee. Ik geloof dat hier de dame woont die in haar tuin zat te schilderen. Lief huisje, hè?'

Hij knikt.

'Wanneer ga je die aquarel ophalen?'

'Daar moet ik nog over bellen.'

'Mag ik mee?'

'Natuurlijk, Robin. Jij kunt beter dan ik beoordelen of een schilderij goed is.'

Het dessert arriveert. Ze zijn er nog maar net aan begonnen als er twee meisjes bij hun tafeltje komen staan. Een donkere en een blonde.

'We hebben iets voor je gemaakt,' zegt Tessa.

Ze legt een kleurplaat op tafel. Janneke legt de hare ernaast.

'Voor mij?' Sophie is verrast.

'Ja, kijk maar.'

'Voor oma, van Tessa. Voor oma, van Janneke,' leest Sophie hardop. 'Wat prachtig! Daar ben ik heel blij mee.'

Ze hollen terug naar hun eigen tafel. Sophie kijkt hen vertederd na.

Robin lacht.

'Nou, Sophie, je bent oma geworden. Gefeliciteerd.'

'Dank je.'

De geschenkjes doen haar meer dan ze wil laten merken. Nog nooit eerder is ze zo blij geweest met zo'n eenvoudig cadeautje.

'Heb jij ook kinderen, Robin?'

'Een dochter.'

'En kleinkinderen?'

'Eén kleindochter.'

'Zie je ze weleens?'

'Zelden.'

'Jammer.'

'Och.' Hij haalt zijn schouders op. 'Ik heb het ernaar gemaakt, weet je.'

Sophie kijkt hem aan. Er kan veel misgaan tussen mensen, daar weet ze alles van. Maar er is ook herstel mogelijk. Iets daarvan heeft ze vandaag geproefd.

'Ik heb momenteel mijn leven weer aardig op de rails, Sophie. Maar vroeger… ik kan mijn dochter geen ongelijk geven.'

'Als ze je nu zag,' aarzelt Sophie.

'Ze woont in Schotland. Met een man die mij niet bij haar in de buurt zou toelaten.'

Het klinkt onbereikbaar. Sophie weet wat een pijn dat doet. Of ervaren mannen dat anders dan vrouwen?

'In ieder geval ben ik blij dat het nu goed met je gaat,' zegt ze.

Hij reageert niet.

'Je bent bezig met een interessant project, je bent creatief. En je vriendschap betekent voor mij meer dan je zelf beseft.'

Hij staat abrupt op en loopt weg. Sophie piekert erover wat ze fout heeft gezegd. Ze heeft geen idee. Robin is een vreemde vent. Toch mag ze hem graag.

6

Robin loopt weg van zijn tekentafel. Want daar maakt hij toch alleen maar fouten. Na een slechte nacht is hij heel vroeg naar zijn werk gereden. In de keuken van de havezate heeft hij een kop koffie gedronken en vervolgens heeft hij geprobeerd zich in zijn berekeningen te verdiepen. Het lukte niet.

Hij loopt door de verwilderde tuin. Het is er stil, er zingt geen vogel. Boven het struikgewas hangt nog de ochtendnevel. Maar tussen de bomen komen bundels zonlicht.

Robin ziet het niet, hij is woedend op zichzelf. De lompe manier waarop hij gisteren wegliep bij Sophie! Ze zal hem niet meer aan willen kijken. Hoe kon het zo lopen? Ze zaten samen te eten en te praten. Een open en vriendschappelijk gesprek. Tot ze hem naar zijn kinderen vroeg. Dat ging over een periode in zijn leven waar hij liever niet aan terugdenkt. Alles heeft hij toen kapotgemaakt. Zijn vrouw en zijn dochtertje is hij kwijtgeraakt. Allemaal door zijn eigen schuld. En om die narigheid te vergeten is hij nog erger gaan drinken dan daarvoor. Wat een waardeloze vent was hij toch. Als hij weer een schilderij had verkocht, zo'n goedkoop plaatje van het Schotse landschap, bracht hij het geld meteen naar de pub.

Gelukkig was John er, de vriend die honderd keer beter schilderde dan hij.

'Je hebt talent, Robin,' zei hij vaak, 'gooi het niet weg. En gooi jezelf ook niet weg.'

Het was John die hem hielp van zijn verslaving af te komen. Hij bezorgde hem een baan in het museum en adviseerde hem ten slotte naar het zuiden te gaan om een frisse start te maken.

Gisteren vroeg Sophie hem naar deze episode. Liever had hij er niet over verteld. Maar voor hij erop bedacht was, liet hij iets zien van die zwarte periode. Was hij daardoor zo van slag? Wilde hij helemaal niet meer aan die ellendige tijd denken, laat staan erover praten? Dat was het toch niet. Bovendien reageerde Sophie heel mild. Gelukkig gaat het nu goed met je. Nee, iets anders raakte hem veel dieper. Wat ze daarna zei. Je bent creatief. En je vriendschap betekent veel voor mij. Daar sloeg de bom in.

Hij ziet haar rustige, blauwgrijze ogen weer voor zich. Hij hoort haar stem, die hem vertrouwen geeft. Je kunt het. Je bent belangrijk.

Robin kreunt van ellende. Hij gaat op een omgewaaide boomstam zitten en kijkt terug in een ver verleden.

Hij was een jaar of acht. Ze woonden in een dorp aan de Maas. Hij was een stil, teruggetrokken kind dat graag bij de rivier kwam. Toen hij voor zijn verjaardag een tekenboek kreeg, was hij de koning te rijk. Hij zat op de dijk en tekende schepen. De lange, die diep in het water lagen en voorbijtuften met hun kostbare lading in het ruim. De motorboten. En 's zomers de zeiljachten en de kano's. Zijn moeder keek naar wat hij gemaakt had. Soms leek het nergens naar. Maar ze zag ook de goede kanten. 'Fijn zo, Robin. Dat kun je goed.'

Zijn vader lachte hem uit en bespotte hem om zijn liefhebberij.

'Dat wordt nooit wat. Ga toch spelen met de andere jongens.'

Zo bleef het jarenlang. Zijn vader had altijd kritiek en benadrukte dat hij zou mislukken bij alles wat hij ondernam. Want hij wás in de ogen van zijn vader een mislukkeling. Zijn moeder schudde haar wijze hoofd en zei: 'Maar natuurlijk kun je dat, Robin.'

Hij was geneigd zijn vader te geloven. Dat werkte verlammend.

Toen hij naar de hbs wilde, gaf dat grote onenigheid in huis.

'Dat wordt toch niks. Laat de jongen een vak leren en gaan werken,' vond de vader.

Zijn moeder ging ertegenin.

'Laat hij het proberen. Hij wil het graag en ik weet zeker dat hij het kan.'

Robin kreeg zijn zin en begon aan zijn middelbare school, waarbij hij gemangeld werd tussen het vertrouwen dat zijn moeder in hem had en de kille afwijzing van zijn vader. Toen hij in de derde klas zat, overleed zijn moeder. Het voelde of hij geen bodem meer had om op te staan. Hij miste haar wanhopig. Tot overmaat van ramp kon zijn vader het verlies van zijn vrouw niet verwerken. Hij werd verbitterd en reageerde alles af op zijn zoon. Robins schoolprestaties gingen met een sneltreinvaart achteruit. Een oom en tante die vlak bij de hbs in de stad woonden, boden uitkomst. Robin mocht bij hen wonen zolang dat nodig was. Het hielp. De oom en tante waren aardig en gastvrij. Met Robins schoolwerk bemoeiden ze zich niet, zolang de resultaten voldoende waren. En Robin studeerde koppig door, met op de achtergrond de stem van zijn vader. Mislukkeling. Vaak dacht hij aan zijn moeder en probeerde haar beeld voor ogen te krijgen, de echo van haar stem te horen. Hij miste haar als het leven zelf. Maar hij haalde zijn examen.

Zijn keuze voor de kunstacademie was haast vanzelfsprekend. Op de hbs was zijn tekentalent niet onopgemerkt gebleven. Ook voor wiskunde had hij hoge cijfers. Zijn oom en tante steunden hem, al begrepen ze niet hoe hij ooit de kost zou kunnen verdienen met die opleiding. Robin zelf dacht aan zijn eerste schetsboek en was vastbesloten zijn vader te laten zien dat hij het wél kon. Zijn moeder zou, als het aan hem lag, gelijk krijgen.

Hij haalde zijn diploma met glans. Maar werk was er niet. De stem van zijn vader, die intussen was overleden, klonk weer luid en hinderlijk. Zie je nou wel, het lukt je niet.

Robin vluchtte. Jaren zwierf hij door Europa. Parijs, Venetië, Griekenland. Uiteindelijk kwam hij in Schotland terecht. In de jaren dat hij daar woonde maakte hij een puinhoop van zijn leven. Zijn vader kreeg gelijk.

Gelukkig kwam John net op tijd. Die steunde hem bij zijn gevecht om weer tot een menswaardig bestaan te komen. En in dat gevecht zocht Robin steeds weer naar het beeld van zijn moeder. De manier waarop ze naar hem keek, vol vertrouwen, ja, bijna met de zekerheid dat hij het zou redden. Soms leek ze heel dichtbij te zijn. Maar er waren ook dagen en weken dat ze afwezig was. Net of ze hem in de steek liet. Dan verlangde hij zo wanhopig naar haar dat het zelfs lichamelijk pijn deed. Op die momenten wilde hij het liefst weer naar de fles grijpen. Maar een zware tocht door de bergen was een beter medicijn. Je bent geen kind meer, Robin. Je bent een volwassen vent. Neem de verantwoordelijkheid voor je eigen leven. Het lukte hem. Maar het verlangen bleef.

Na zijn debacle in Kent is hij naar Nederland gevlucht. Was het zijn eigen schuld dat hij zo bedrogen werd? Het voelt opnieuw aan als een mislukking. Het hindert hem terwijl hij aan het project bij de havezate werkt. Schei toch uit, Robin. Dit wordt toch niks. Het ontmoedigt hem, het verlamt hem af en toe. Maar dan is er in dat vriendelijke hotel iemand die hem ziet en die alle vertrouwen in hem heeft. Ook al heeft hij net het echec van zijn huwelijk opgebiecht. Sophie kijkt hem aan met haar warme blik. Je bent creatief, Robin. En je vriendschap betekent heel veel voor me. Gisteren keek zijn moeder hem aan door de ogen van Sophie. Het ontroerde hem zo hevig dat het bijna ondraaglijk was. Hij kon niet anders doen dan weglopen.

En nu? Heeft hij de vriendschap verspeeld? Het is of hij zijn moeder zacht hoort lachen. Ga het maar gauw rechtzetten, jongen. Ze zal het begrijpen.

Sophie voelt zich rijk. Ze zit bij het speelveld en kijkt naar de kinderen. Gelukkig regent het niet meer, het is droog en winderig weer. Peter is met een paar vriendjes aan het voetballen. Zou hij in de gaten hebben dat zijn oma toekijkt? En hoe zou hij dat vinden? Sophie weet nog bijna niks van de jongen. Het zal wel moeten groeien.

'Mag ik even naast u komen zitten?'

Het is de derde moeder, degene die ze nog niet ontmoet heeft. Ze steekt haar hand uit.

'Ik ben Dorien.'

'Sophie Koster.'

Dorien weet van aanpakken.

'Ik hoorde van Marjolein dat u de oma van Tessa bent.'

'Ja. En van Peter.'

'Fijn dat u elkaar gevonden hebt.'

'Inderdaad.'

'Ik weet niet of u het gemerkt hebt, maar Janneke beschouwt u ook als een soort oma.'

Sophie knikt en vertelt over de twee kleurplaten die ze gisteren kreeg.

'Hoe vond u dat?'

'Ik was er heel blij mee.'

'Weet u dat Janneke een pleegkind is?'

'Dat vertelde Marjolein.'

'Ze heeft moeilijke jaren achter de rug. Bij ons komt ze zo te zien tot rust. We proberen iets goed te maken van wat ze gemist heeft. Geborgenheid, ouderliefde. Al zijn we maar vervangend. Maar nu heeft ze opeens een oma ontdekt en die probeert ze te annexeren.'

'Daar kan ik me iets bij voorstellen. Tessa opeens een oma, dan zij ook. Het gaat bijna vanzelf.'

'Toch zitten daar wel wat haken en ogen aan,' zegt Dorien. 'Voor zover ik Janneke ken, zal ze u erg in beslag nemen in de tijd dat we hier zijn. Heel begrijpelijk, want ze heeft een enorme behoefte aan familie. Ze heeft nooit grootouders gekend.'

Sophie knikt.

'En hoe staat u daar tegenover?' wil Dorien weten.

Sophie is zo blij met Peter en Tessa dat die vraag gauw beantwoord is.

'Die ene kan er nog wel bij.'

'Mijn vraag is wat u er na deze vakantie mee wilt doen. Janneke vindt het heerlijk om hier een soort oma te hebben. Maar die zal ze met alle geweld willen houden als we straks weer thuis zijn. Kinderen als Janneke hebben moeten vechten voor hun bezit en laten niet gauw iets los.'

'Beschouwt ze mij ook als bezit?'

'Dat kan gemakkelijk gebeuren. Het hangt ervan af wat u wilt en hoe u zich opstelt.'

'Ik luister.'

'U kunt ervoor kiezen om voor Janneke alleen de oma van Tessa te zijn. Dat zal uit uw houding moeten blijken. Dan zal Janneke beseffen dat het feest niet langer duurt dan ons verblijf hier. Maar Janneke zal waarschijnlijk een blijvende relatie met u willen hebben. Als u dat wilt, dan kunt u haar daarin natuurlijk tegemoetkomen in deze dagen. En dan moet de vriendschap voortgezet worden.'

'Wat houdt dat voor mij in?'

'Voorlopig heel weinig. Bijvoorbeeld eens in de maand een kaart met een paar persoonlijke woorden erop. Wij zullen erop staan dat ze bericht terugstuurt. Ook dat moet ze leren. Met Sinterklaas en de verjaardag een klein cadeautje. Een oma is niet iemand waar je beter van wordt. En op uw verjaardag een attentie van haar kant.'

'Het lijkt wel een leerproces.'

'Dat is het ook. Verder misschien een of twee keer per jaar een ontmoeting, op welke manier dan ook.'

'Ben ik dan voor jullie hele gezin de oma?'

'Nee, alleen van Janneke. Het zal goed voor haar zijn als ze iemand voor zich alleen heeft.' Dorien lacht. 'De ouders moeten ze tenslotte met hun vijven delen.'

'Ik zal erover nadenken,' zegt Sophie. 'En ik ben blij dat je er zo open en duidelijk over praat.'

'Dat is het beste. Pleegkinderen opvoeden is een voorrecht, maar er is niets romantisch aan.'

'Het klinkt als hulpverlening.'

'Nee, het is veel meer. En je krijgt er ondanks teleurstellingen zo veel voor terug.'

'Ik ben volstrekt onervaren als oma, hoor.'

'Ik denk dat u een natuurtalent bent. Maar doe vooral niet iets omdat het uw plicht zou zijn. Als het niet van harte gaat, hebben we liever dat u geen beloften doet. Want het zou voor Janneke heel slecht zijn als het op een teleurstelling uitdraaide. Ze heeft al vaak genoeg ervaren wat het is om in de steek gelaten te worden. Ik heb het er met Huib over gehad. Hij vindt ook dat we geen verwachtingen mogen wekken waar later niet aan wordt voldaan.'

'Mijn respect, Dorien. Jullie zijn wijze mensen.'

Dorien haalt haar schouders op. 'Er gaat nog genoeg mis.'

Ze staat op. 'Eens kijken of ze de boel niet afbreken.'

Sophie blijft zitten, nadenkend over wat ze zojuist gehoord heeft. Ook nog een soort vervangende oma! Waarbij van alles fout kan gaan. Dorien heeft alle ervaring. Maar zíj niet. Hoe moet ze weten of ze de juiste persoon is voor Janneke?

Robin vindt haar bij het speelveld. Hij schuift naast haar op de bank.

'Wat ben jij diep in gedachten.'

Ze schrikt op.

'Eh, ja, ik zat te denken over een van die kinderen.'

'Problemen?'

'Nee, niet echt.'

Robin vindt haar weinig spraakzaam. Is ze boos op hem? Of is ze beledigd? Tenslotte heeft zij wel goede manieren, terwijl hij…

'Sophie, ik wil mijn excuses maken omdat ik gisteren zo plompverloren bij je wegliep.'

'Ik had je niet naar je verleden moeten vragen. Dat was een beroerde tijd voor je. Het spijt me.'

'Nee Sophie, het lag helemaal niet aan jou. Ik praat niet graag over die tijd in Schotland. Maar jij mag het wel weten.'

'Wat ging er dan fout gisteren?'

'Het feit dat jij me toch nog wel zag zitten. Je hebt vertrouwen in me, ondanks de bende die ik ervan gemaakt heb.'

Verwonderd kijkt ze hem aan.

'Maar dat is lang geleden. Nu gaat het toch goed?'

Opnieuw hoort Robin zijn moeder spreken. Maar dat kan hij Sophie niet uitleggen. Ze zou denken dat hij een moederfiguur zoekt. En dat wil hij niet, het zou de vriendschap geen goed doen.

'Het doet me erg veel dat je me niet veroordeelt.'

Sophie laat het op zich inwerken. Wat heeft hij nog veel last van alles wat vroeger fout ging.

'Het verleden achtervolgt je, zo te horen.'

Hij knikt.

'En dat hindert me soms in het werk waar ik nu mee bezig ben. Dan laat ik de moed zakken en denk dat ik een prutser ben.'

'Gaat het nu over je werk of over jezelf?'

'Allebei.'

'Nounou, wat denk jij negatief over jezelf. Je hebt daar in Engeland toch goed werk verricht? Zo goed zelfs dat iemand jouw ontwerp heeft gestolen.'

Hij schiet in de lach.

'Zo heb ik er nog nooit naar gekeken.'

'Je vond jezelf zeker een sukkel, omdat je dat liet gebeuren.'

Verrast kijkt hij haar aan.

'Ja, precies.'

'Terwijl de schuld bij de dief ligt, niet bij jou.'

'Je hebt gelijk.'

'Robin, je moet jezelf niet zo naar beneden halen. Je hebt heel wat talenten en ik vind het dapper van je dat je je leven weer op orde hebt gebracht.'

Hij kijkt haar aan, verlegen als een schooljongen.

'Bij zulke opmerkingen loop ik het liefst weg, Sophie, ik kan er niet goed tegen.'

'Zitten blijven,' zegt ze streng. Maar haar ogen lachen. 'Voortaan zeg je iedere morgen bij het opstaan tegen jezelf: "Vandaag gaat het lukken, ik kan het." En zodra de moed je in de schoenen zakt, zeg je dat weer. Net zo vaak tot je weer in jezelf gelooft.'

'Huiswerk dus,' mompelt hij.

'Ik ben je schooljuf niet.'

'Nee,' zegt hij, 'nee, je bent mijn muze. Wil je dat zijn, Sophie?'

'Het is me een grote eer,' zegt ze plechtig, 'dat ik een kunstenaar mag inspireren.'

Ze lachen. Het is een spel. Maar een spel met een serieuze ondergrond.

'Zullen we gaan lunchen?' vraagt Sophie.

Robin vindt het een goed idee. Hij heeft een geweldige trek.

Aan tafel zeggen ze niet veel. Pas als ze klaar zijn, vraagt Sophie: 'Hoe gaat het met je werk? Schiet het op?'

'Ja, ik ben een heel eind. Gisteren heb ik met heer Diederik een basisplan doorgenomen, met voorlopige berekeningen. Hij weet er best veel vanaf en hij was erg tevreden. Zaterdag komen er een paar mensen van het bedrijf. Als zij het plan goedkeuren, mag ik verdergaan.'

'En anders?'

'Dan zal ik dingen moeten wijzigen. En mogelijk concessies doen aan de historie van de tuin. De financiën spelen natuurlijk ook een rol.'

'Ik vermoed dat het een kostbaar project is.'

'Zeker. Maar als ik zie hoe prachtig ze het huis hebben gerestaureerd, dan heb ik goede hoop dat de tuin ook alle aandacht mag krijgen.'

'Hebben ze een budget genoemd?'

'Natuurlijk. Maar alles is nog voorlopig.'

'Ga je er straks naartoe?'

'Ja. Ga mee, Sophie, dan kun je ook je oordeel geven.'

'Ik ben een leek, dat weet je. Maar ik wil graag kennisnemen van je project.'

'Zoals ik ook mag toekijken hoe jouw project hier verloopt,' grijnst hij.

'Heel voorspoedig, tot nu toe.'

Ze spreken af dat Sophie in haar eigen auto achter hem aan zal rijden, dan kan ze vertrekken wanneer ze is uitgekeken. Robin leidt haar rond in de tuin en vertelt in grote lijnen over zijn plannen. Waar borders moeten komen blijven ze lang staan en denken na over kleurcombinaties en achtergronden, over hoog en laag. Hij neemt haar mee naar het kantoor om zijn tekeningen te laten zien. Ten slotte drinken ze thee in de keuken.

'Deze dame is een tuindeskundige,' zegt Robin trots tegen de kok.

Sophie houdt een glimlach in. Als hij dat zo wil presenteren, dan moet het maar. Soms is het net een kwajongen.

'En wat vindt u van de tuin, mevrouw?' vraagt de kok beleefd.

Sophie houdt zich op de vlakte.

'Die heeft erg veel mogelijkheden.'

Als ze weer in het hotel is, belt ze Boukje.

'Je treft het, Sophie. Ik kom net thuis uit het ziekenhuis.'

'Hoe gaat het met Agnes?'

'Voortreffelijk. Ze ligt daar als een koningin in bed. Er staat een prachtig boeket. Toen ze vertelde dat jij dat had gestuurd, kreeg ze de tranen in haar ogen. Met die enkel komt het trouwens helemaal goed.'

'Gelukkig maar,' lacht Sophie, 'want als Agnes niet meer kan draven en redderen, zou ze diep ongelukkig worden.'

'Nu doet haar man alles. Hij kwam wat later. Agnes gaf hem meteen allerlei instructies over de was. Hij keek of hij de Himalaya moest beklimmen. Hun kinderen zijn ook al geweest, allemaal. En vertel eens, wat heb jij beleefd?'

'Vanmiddag was ik in de tuin bij een havezate.'

'Aha. Erg mooi zeker.'

'Nog niet. Hij moet gerestaureerd worden.'

'Wat deed jij daar dan?'

'Ik werd rondgeleid door de tuinarchitect die dat karwei op zich genomen heeft. Hij logeert in De Wilde Roos, zodoende.'

'Die hoveniers vallen allemaal op je. Eerst die jongeman die de tuin van het hotel verzorgt en nu deze. Wat zien ze toch in jou?'

'De liefde voor groei en bloei straalt waarschijnlijk van me af. En er valt niemand op me, zo banaal gaat het hier niet toe. Voor Lars ben ik een fee. En voor Robin ben ik iemand die inspireert. Dus graag iets meer niveau alsjeblieft.'

Boukje lacht. Het gaat goed met Sophie.

'Ik zal erom denken. En hoe gaat het met je kleinkinderen?'

'Rustig. Peter zei vanmorgen "hoi oma". Dat was voor het eerst dat hij iets tegen me zei. Het deed me best veel. Het lijkt er trouwens op dat er zich nog een kleinkind meldt. Een adoptief kleinkind, bedoel ik.'

Sophie vertelt over Janneke. En over het gesprek met Dorien.

'Ik ben zo onervaren, Boukje. Ik weet werkelijk niet wat ik moet beslissen.'

'Heel eenvoudig. Je moet je hart laten spreken.'

'Dat zei Dorien ook. Als het niet van harte gaat, dan moet ik het niet doen.'

Nog lang nadat ze uitgepraat zijn zit Sophie naar buiten te staren. Al de jaren van haar huwelijk had haar hart geen recht van spreken. En nu is het haar belangrijkste raadgever. Dat voelt goed aan, daar wordt ze een heel mens van. Wilbert kende dit niet. Was hij eigenlijk gelukkig? Heeft hij wel beseft dat hij iets miste? Ze voelt mededogen met hem. Dat is een nieuwe ervaring. Altijd was ze boos als hij haar verlangens niet opmerkte, of ze als dwaasheden aan de kant schoof. Ze is in haar huwelijk in een bepaald opzicht tekortgekomen. Maar heeft Wilbert zichzelf niet veel meer ontzegd, zonder het te beseffen? Hij kon geen warmte geven. Maar hij wilde het evenmin ontvangen. Zat hij zo in elkaar? Enigszins gehandicapt, denkt Sophie. Was Norbert net zo? Daar zou ze eens met Marjolein over willen praten. Dat moet toch kunnen zonder bitter te worden.

's Avonds komt Robin laat aan tafel. Sophie had niet anders verwacht.

'Goed gewerkt?'

'Je weet niet half. Als je muze in de tuin vertoeft. Heer Diederik heeft ons zien lopen en wilde weten wie ik daar bij me had.'

'Je zei natuurlijk "mijn muze".'

'Toch maar niet. Ik heb gezegd dat je een deskundige op het gebied van tuininrichting bent. Hij vroeg meteen of je aan een hoveniersbedrijf verbonden bent. Dus, als je nog een baan zoekt...'

Sophie lacht.

'Je weet wel beter. Ik wil alleen maar een eigen tuin inrichten. Trouwens, waarom heb je het altijd over heer Diederik? Heeft die man geen echte naam?'

'Natuurlijk wel. Hij heet Van Dieren. Maar ik vind Diederik veel mooier.'

Sophie lacht.

'Je bent een romanticus, Robin.'

'Dat is zo. Daarom wil ik je vragen om vanavond met mij door de tuin van ons hotel te wandelen. Na die wildernis bij de havezate heb ik behoefte aan een mooie, goed ingerichte tuin. Misschien wil je wel met me meekijken en bedenken hoe het landgoed van heer Diederik eruit zal komen te zien.'

'Een hele eer. Na de koffie? Dan kan ik me eerst even opknappen.'

'En ik ook. Dat bedoel je toch?'

'Nee hoor, een kunstenaar mag komen zoals hij is.'

Vanaf de tafel met de kinderen kijkt Marjolein naar haar schoon-moeder aan het andere eind van de eetzaal. Ze is druk in gesprek met Robin. Het tweetal zit te lachen als samenzweerders. Oude vrienden, denkt Marjolein. Hoe hebben ze elkaar leren kennen? Het zijn zulke verschillende mensen. In ieder geval qua uiterlijk. Tegelijk beseft ze dat zoiets niet doorslaggevend is. Wat weet ze nog weinig van Sophie. Het zou goed zijn het contact tussen haar en haar eigen gezin te verstevigen. Maar hoe kunnen ze dat doen op een ongedwongen manier? Hier in het hotel gaan Tessa en Peter op in de grote groep. Ze zouden er even tussenuit moe-ten gaan.

Na het eten spreekt ze Sophie erop aan.

'Kunnen we iets bedenken waar we een dezer dagen met Peter en Tessa naartoe kunnen? Zodat we een uurtje onder elkaar zijn.'

'Graag,' zegt Sophie. Ze onderkent het probleem. De kinderen hebben niet veel aandacht voor haar. En dat begrijpt ze best.

'Morgenmiddag na de lunch?' vraagt Marjolein. 'Er is hier in de buurt een kinderboerderij met een klein speeltuintje.'

'Een goed plan.'

Sophie gaat naar haar kamer. Ze poetst haar tanden en haalt een borstel door haar haren. Dan zoekt ze haar wandelschoenen op. De stoeltjes bij het raam nodigen haar uit. Even gaat ze zit-ten. De roos op het tafeltje is bijna uitgebloeid. Elke dag heeft ze ervan genoten. Zelfs nu heeft hij nog zijn charme. Ze wil hem niet weggooien, dat moet het kamermeisje maar doen. Buiten valt het licht van de avondzon over de bomen. Sophie is geluk-kig.

Ze zijn niet de enigen die van de tuin genieten. Andere hotel-gasten hebben deze mooie plek ook ontdekt. Maar zij en Robin zijn wel de enigen die met een bijzondere aandacht naar alles kijken. Beiden hebben ze de tuin van de havezate in gedachten erbij. Ze overleggen, ze bedenken hoe een groep heesters het zou doen vóór de elzensingel, ze praten erover welke kleuren in een border hiermee zouden harmoniëren.

'Ik ben blij dat je de tuin daarginds hebt gezien, Sophie. Nu kun je meedenken over de diverse mogelijkheden.'

Ze glimlacht.

'Het lijkt wel werken.'

'Is het ook.'

'Ruik je die damastbloemen?'

'Welke zijn dat?'

'Die witte. Ze geven hun geur pas af als het avond is.'

De achterste tuin is zo mogelijk nog interessanter voor Robin. Hij kijkt naar de bijzondere bomen.

'Die werden in vroeger tijden speciaal ingevoerd door de eigenaars van de landgoederen. Een paar van die exoten in je tuin gaven er veel cachet aan.'

Bij de vijver blijft hij lang staan.

'De vijver bij de havezate is er nog veel erger aan toe. Helemaal dichtgegroeid. Maar een schitterend element in het landschap.'

Sophie hoort de liefde voor zijn werk aan de manier waarop hij erover praat. Ze is verbaasd dat hij geen aantekeningen maakt. Waarschijnlijk heeft hij alles in zijn hoofd opgeslagen en kan hij er morgen mee aan de gang.

Achter de vijver is een bankje waar ze een poosje gaan zitten.

'Hoe ziet jouw tuin eruit, Sophie? Die moet wel heel mooi zijn.'

'Er is nauwelijks sprake van een tuin,' zegt ze. 'Bijna de hele kavel wordt opgeslokt door het huis. Er zijn twee opritten naar de garages. Daar kan ik zitten bij goed weer. Verder wat bomen om ons af te schermen tegen de buren. Op een paar plekken heb ik potten. Maar de planten die daarin staan doen het niet al te goed.'

'Dus je kunt niet echt tuinieren?'

'Nee.'

'Waarom zijn jullie daar dan gaan wonen?'

'Omdat Wilbert het een passend huis vond.'

'Heb je eerder wel een tuin gehad?'

'O ja, waar we woonden toen Norbert klein was. Hij kon daar heerlijk spelen. En ik tuinierde wat af!'

'Dus je man vond dat jullie naar een groter huis moesten. Was er geen overleg? Hij wist toch dat je graag een tuin had?'

'Dat telde niet voor hem.'

'Misdadig,' mompelt Robin.

'Ik denk dat hij niet begreep wat het voor me betekende. Waarschijnlijk kón hij het niet begrijpen.'

Wat een man, denkt Robin. Geen tuin. En, zoals Sophie hem eerder vertelde, geen kinderen meer na die ene. En zelfs met die zoon geen contact meer. Wat zal Sophie zich berooid gevoeld hebben in dat huwelijk. Nu is hij extra blij dat ze haar kleinkinderen heeft ontdekt. Inclusief een aardige schoondochter.

'Ik begrijp nu pas goed waarom je iets anders zoekt.'

'Ja. Het is heerlijk om ervan te dromen,' zegt Sophie. 'Stel je voor, een flink stuk grond inrichten naar mijn eigen ideeën.'

'Het spijt me dat te horen,' verzucht Robin. 'Ik had even gehoopt dat ik mee mocht denken.'

Ze schrikt.

'O, maar natuurlijk mag dat. Ik zou het zelfs erg op prijs stellen.'

'Daar zijn we het dan over eens. Vertel me eens, waarom ben je met die man van je getrouwd?'

'Hij was heel charmant. En ik was nog erg jong, nog geen twintig. Ik had best nog even willen wachten, want ik werkte met plezier in het ziekenhuis. Maar we konden woonruimte krijgen. Dat was een buitenkansje, zo kort na de oorlog. Dus Wilbert vond dat we maar gauw moesten trouwen.'

Robin rekent het snel uit. Dan moet ze nu zestig zijn. Tien jaar ouder dan hij. Zo ziet ze er niet uit. Terwijl hij met zijn verlopen uiterlijk eerder de zestig lijkt te zijn gepasseerd.

Een poos zitten ze zwijgend naast elkaar. Sophie denkt aan Wilbert, zoals hij haar compleet overrompelde met zijn nieuwe huis. Inderdaad, zíjn huis. Het is nooit het hare geworden. Ze ging gewoon mee, tegelijk met het meubilair. En nu gaat ze er weg. In zekere zin heeft ze al afscheid genomen. In de komende week zal ze in de buurt van Arnhem gaan rondkijken. Het is niet zo ver van hieruit. En makelaars zijn er genoeg.

Vlak bij hen klinkt zacht, melodieus gefluit. Een vogel, denkt Sophie. Maar plotseling hoort ze iets wat vogels niet kunnen. Een bekende melodie, een thema dat ze kent van haar bezoeken aan de concertzaal. Opeens weet ze het. Beethovens *Pastorale*. De muzikant improviseert erop los. Trillers en glijders zoals vogels dat laten horen, afgewisseld met motiefjes van de grote componist. Een paar avonden geleden heeft ze dit ook gehoord. Maar vanavond doet het haar nog meer dan toen. De muziek tilt haar op en draagt haar weg uit een pijnlijk verleden, en fluistert haar beloften in voor de tijd die voor haar ligt.

Naar de kinderboerderij is het een klein halfuur met de auto. Marjolein rijdt vlot en vaardig. Intussen houdt ze via de achteruitkijkspiegel een oogje op haar kinderen en vindt ze ook nog gelegenheid om aandacht aan Sophie te besteden. Iemand die haar zaken goed in de hand weet te houden, denkt Sophie.

Het is niet druk op de kinderboerderij. Tessa vliegt meteen naar de konijnen. Ze hurkt voor de hokken neer en aait ze over hun zachte neuzen.

'Die is nog wel even bezig,' lacht Marjolein. 'Ze wil dolgraag zelf een konijn. Maar ik denk niet dat ik er een huisdier bij kan hebben.'

Peter is bij de ezelwei. Hij probeert de kleinste ezel naar zich toe te lokken. Sophie komt naast hem staan.

'Hij wil niet, oma.'

'Ik denk dat hij het gras veel te lekker vindt.'

'Hij móét komen.'

Precies Norbert, denkt Sophie. Die probeerde ook de hele wereld naar zijn hand te zetten.

'Van mij mag hij lekker doorgaan met eten,' zegt ze.

'Wil jij hem dan niet aaien, oma?'

'Natuurlijk wel. Maar de ezel mag zelf beslissen.'

'O.'

Sta ik hier meteen al op te voeden, denkt Sophie. Maar Peter vindt het niet erg. Zijn hand kruipt in die van Sophie.

'Je hoeft niet bang te zijn, hoor oma. Hij doet niks.'

'Gelukkig maar.'

Ze lopen naar Tessa en Marjolein. Peters hand blijft in de hare. Hij vertelt vol trots over de robot die hij gisteren gemaakt heeft in het knutseluurtje met Anouk. En dan is het speeltuintje aan de beurt. Sophie en Marjolein zitten op een bankje en houden Tessa en Peter in de gaten, die zich met andere kinderen vermaken.

'Toen we weggingen uit het hotel wilde Janneke ook mee,' zegt Marjolein. 'Ik heb die boot afgehouden, omdat dit de eerste keer is dat we eh… helemaal onder elkaar zijn. Met Janneke erbij zou het toch even anders zijn.'

'Dat lijkt me een goede beslissing. Later kunnen we haar wel mee laten doen. Heeft Dorien je verteld over het gesprek van gisteren?'

'Heel summier.'

Sophie vertelt wat Dorien met haar besproken heeft.

'En?' vraagt Marjolein, 'ben je er al uit?'

'Ik vind het nogal moeilijk. Hoe denk jij erover?'

Marjolein lacht.

'Al vind je er nog tien kleinkinderen bij! Als je het graag wilt, moet je het doen.'

'Het mag voor Janneke geen teleurstelling worden.'

'Daarom is het goed dat je met kleine dingen begint. Ik denk dat je ook duidelijk nee moet zeggen als ze je iets probeert af te dwingen.'

'Is het een moeilijk kind?'

'Het is een lieverd. Maar ze moet haar grenzen leren kennen.'

Het stelt Sophie gerust.

'Hoe heb je meneer Harper leren kennen?' vraagt Marjolein. 'Jullie zijn zo verschillend.'

Sophie denkt aan de musjes met hun domme nieuwsgierigheid. Marjolein is heel anders, het is bij haar pure belangstelling.

'We zijn allebei gecharmeerd van tuinen,' antwoordt ze. 'Bovendien is het Robins werk.'

Ze vertelt over het project waar hij mee bezig is.

'Dus hij is helemaal geen beeldhouwer,' lacht Marjolein.

'Dat heeft hij ook nooit beweerd.'

'Waar woont hij?'

'Tijdelijk in een stacaravan. Zijn eigen huis staat in Kent.'

'Gaat hij straks weer terug naar Engeland?'

'Dat weet ik niet. Ik krijg de indruk dat hij er nog geen beslissing over genomen heeft.'

Tegelijk herinnert Sophie zich wat hij gisteren zei. Dat hij met haar mee wil denken over de inrichting van haar tuin. Het lijkt erop dat hij in Nederland wil blijven. Wat weet ze weinig van hem. Maar ja, ze kennen elkaar nog geen week. Toch lijkt het veel langer. Wat zijn ze in die paar dagen vertrouwd met elkaar geraakt. Hij heeft in haar kennelijk iets gezien wat hij altijd gemist heeft. En andersom begrijpt hij wat haar pijn heeft gedaan, zonder dat hij daar een drama van maakt.

7

Zodra ze weer in het hotel zijn, loopt Sophie naar de hal om te kijken of er post is. Bij het vak met de K is er niets voor haar. Maar bij de G is het raak. Een mooi tijdschrift over tuinen en een programmaoverzicht van de schouwburg. Dat is het werk van Boukje, die – waarschijnlijk op bevel van Agnes – de post heeft doorgestuurd. Naar mevrouw Van Groenendael in De Wilde Roos.

Tessa staat opeens naast haar.

'Heb je post gekregen, oma? Misschien is er voor mij ook wel iets.'

De kleine handjes zoeken het stapeltje met de G door.

'Ja!' Triomfantelijk houdt ze een ansichtkaart omhoog. 'Van Maaike. Dat is mijn vriendinnetje van school. Maaike is naar Ameland, kijk maar, oma.'

Sophie ziet duinen en de zee. En een vuurtoren.

'Wat een verrassing. Ga je Maaike een kaart terugsturen?'

'Ja. Naar Ameland, dat hebben we afgesproken.'

Het klinkt Sophie heel bekend in de oren. Je moest eens weten, denkt ze. Aan jullie kaartenschrijverij heb ik heel wat te danken.

Op een beschaduwd plekje op het terras drinkt ze thee. Uitvoerig bestudeert ze het tuintijdschrift. Heel wat ideeën komen langs. Ze begint uit te zien naar iets van zichzelf.

Marjolein komt bij haar zitten.

'Het vakblad,' grapt ze. 'Dat ziet er mooi uit.'

'Overdreven mooi. Maar het bezorgt me wel de tuinkriebels.'

'Denk eraan dat er ook een plek moet zijn om te spelen.'

'Goed dat je het zegt. Hoe stel je je dat voor? Een grasveld en een schommel aan een hoge boomtak?'

'Zoiets, ja.'

'Ik ben blij dat je meedenkt, Marjolein. Dat meen ik.'

'Dan heb ik een voorstel. Zullen we ons samen eens over de kaart van Gelderland buigen en bedenken in welke omgeving je graag zou willen wonen?'

Sophie is verrast.

'Dat zou het zoeken een stuk eenvoudiger maken.'

'Vanavond, als de kinderen slapen?'

'Prima. Vind je het goed dat Robin meekijkt?'

'Natuurlijk. Nu moet ik Anouk gaan helpen.'

Sophie kijkt haar schoondochter na. Wat een plezierig mens. Zo volstrekt anders dan ze zich altijd voorstelde. Hoe kwam ze toch zo wantrouwig? Is ze jegens iedereen zo achterdochtig? Ze kijkt om zich heen naar de andere gasten die een plekje op het terras gevonden hebben. De meesten zitten in groepjes gezellig te praten. Vlak bij haar zit een vrouw van een jaar of veertig in haar eentje. Ze is verdiept in een boek. Sophie ziet een enigszins verweerd gezicht, grijsblond haar dat in een niet al te beste coupe geknipt is, eenvoudige kleren en een paar stevige wandelschoenen. Vast iemand die van lange trektochten houdt, denkt ze. En nu ben ik alweer bezig me een oordeel te vormen.

Ze wil niet te lang staren en kijkt weer in haar tijdschrift. Volmaakte tuinen ziet ze er. Zo is het in werkelijkheid nooit. Altijd zijn er wel uitgebloeide bloemen en afgewaaide takken. Bovendien is er de onafgebroken strijd met het onkruid. Een tuin is nooit af. Gelukkig maar. Een tuin moet leven en om aandacht roepen. Net als een mens. Wie wil er nu geen aandacht? Ze denkt aan Janneke, voor wie het een levensbehoefte lijkt te zijn. Sophie glimlacht om zichzelf.

Als ze opkijkt ziet ze de vrouw aan het andere tafeltje naar haar kijken. Haar glimlach wordt breder.

'Goeiemiddag,' zegt ze.

'Dag mevrouw,' klinkt het verlegen. 'Neem me niet kwalijk dat ik zo zit te kijken. Ik vroeg me af wat voor tijdschrift u leest.'

'Het gaat over tuinen,' zegt Sophie. 'Kijkt u maar.'

Ze reikt de ander haar lectuur aan.

'O, maar ik wil u helemaal niet storen.'

'Dat geeft niet,' zegt Sophie. 'Hebt u ook belangstelling voor tuinen?'

'Zeker. Maar ik woon op een flat en dan blijft het bij een paar bakken op mijn balkon.'

'Dan zult u wel genieten van de tuin hier beneden.'

'Hoort die bij het hotel?'

'Ja. Het is heerlijk om er te wandelen.' Sophie maakt een

102

gebaar naar haar tafeltje. 'Kom hier zitten, dat praat wat makkelijker.'

'Ik wil u echt niet van uw bezigheden afhouden.'

'Zo druk heb ik het niet,' lacht Sophie. 'Het is vakantie. En ik ben Sophie.'

'Ik heet Coby. Bent u hier al lang?'

'Een week.'

'Ik ben net aangekomen. De treinen hadden vertraging. Daardoor miste ik de aansluiting op de bus.'

'Waar komt u vandaan?'

'Amsterdam. Even weg uit de drukte. Hier is het lekker rustig. Ziet u, ik ben helemaal geen stadsmens. Maar ik heb daar een baan, en dan moet je wel.'

'Kunt u er in de weekends wel tussenuit? Naar zee, of naar het Gooi?'

'Dat doe ik soms. Maar vaak ben ik te moe. Ik moet mijn huis ook schoonhouden en de was draaien. Er blijft niet zo veel tijd over.'

De vrouw wil duidelijk over zichzelf praten. Sophie vindt het niet erg.

'Wat doet u voor werk?'

'Ik ben administratief medewerker bij een groot bedrijf.'

'Vindt u het prettig werk?'

'Het is nogal eentonig. Maar met de collega's is het gezellig. We lachen heel wat af.'

Sophie realiseert zich dat Wilbert ook zulke mensen in dienst had. Mede dankzij hun inzet is zijn bedrijf gegroeid en heeft hij veel verdiend. Zeker, hij was ongetwijfeld een slimme, hardwerkende zakenman. Maar zonder mensen als deze Coby en vele anderen was het niet gegaan.

Dat ze zelf in weelde kan leven heeft ze ook te danken aan al die werknemers, die tientallen jaren hun tijd en energie gegeven hebben. Ze voelt zich schuldig, al weet ze dat het buiten haar om is gegaan. Toch voelt haar enorme rijkdom op dit moment als een last. Daar wil ze een keer met Rieuwert en Boukje over praten. Ze weet al wat Rieuwert zal zeggen. Waar geld omgaat, verdienen werknemers hun brood. Rieuwert heeft gelijk. Maar toch.

'Het is heerlijk wandelen hier in de omgeving,' zegt ze tegen de nieuweling. 'Mooie bossen en een uitgestrekt heideveld.'

Coby veert overeind.

'Verdwaal je daar niet?'

'Er staan gekleurde paaltjes voor wie een route wil volgen. Bij de VVV hebben ze een wandelkaart van de omgeving. Als het zulk mooi weer blijft, dan denk ik dat u een fijne vakantie zult hebben.'

De ander lacht dankbaar. Ze lijkt er zin in te krijgen. En ze heeft iemand ontmoet die aandacht geeft aan haar bescheiden verlangen.

Sophie weet dat ze vanuit haar vage schuldgevoelens heeft gehandeld, alsof ze iets goed te maken heeft.

Sophie wacht in de hal op Robin vóór ze naar het restaurant gaat voor het diner. Ze wil niet dat Coby aan haar blijft hangen. Er staan weliswaar naambordjes op hun tafeltje. Mevr. S. Koster en dhr. R. Harper. Maar ze weet niet of dat voldoende is.

Robin komt de trap af en is blij haar te zien.

'Dag Sophie, wat aardig dat je op me gewacht hebt.'

'Zo aardig was dat niet. Maar dat leg ik nog weleens uit. Wat ben je netjes vandaag. Je bent zelfs naar de kapper geweest.'

Hij grijnst.

'Morgen moet ik enigszins toonbaar zijn, vandaar.'

Hij reikt haar zijn arm.

'Mag ik je naar de eetzaal begeleiden?'

'Dat mag.'

Ze lacht. Het leven is een spel dat hij speelt. Om al het andere te verbergen?

Tijdens het eten merkt ze dat hij gespannen is.

'Heb je alles klaar om morgen de deputatie te ontvangen?'

'Ik dacht van wel.'

'En zullen ze tevreden zijn?'

'Ik weet het niet. Misschien komen ze dingen tegen die hun helemaal niet aanstaan.'

'Wat voor dingen?'

'Iets wat ik over het hoofd heb gezien. Of een verkeerde berekening.'

'Begin je nu weer aan jezelf te twijfelen? Je hebt vast goed werk geleverd, Robin. En als er een kleinigheid veranderd moet worden, dan doe je dat gewoon.'

Plotseling trekt er een lach over zijn gezicht.

'Ik denk dat ik jou maar meeneem.'

'Geen sprake van!'

'In gedachten, bedoel ik. Als mijn muze.'

'Vooruit dan maar. Alleen begrijp ik niet wat een muze te maken heeft met een werkbespreking.'

'Sophie…'

Hij kan niet verder praten, want aan de tafel van de kinderen klinkt luid geroep.

'Oom Harro, oom Harro, kom hier zitten. Nee, hij moet naast mij zitten. Hier, oom Harro.'

Iedereen in het restaurant houdt op met eten. Een tengere man met sluik, blond haar staat lachend tussen de kinderen.

Huib komt overeind om orde te scheppen.

'Stil jullie, stelletje zeerovers. Harro, welkom op het piratenschip. We nemen niemand gevangen en we vinden dat je naast Anouk moet zitten. Want zij heeft je de hele week al moeten missen. Intussen heeft ze een heleboel mooie dingen met ons gemaakt.'

De kinderen roepen allemaal door elkaar.

'En nu gaan zitten en je mond houden. Wie nog één woord zegt, krijgt geen toetje.'

Dat helpt. Harro schuift aan bij zijn gezin en de kinderen eten verder zonder nog te praten.

Sophie heeft belangstellend toegekeken. Drie moeders, twee vaders. Eigenlijk zou Norbert de derde vader moeten zijn. Maar ze weet heel zeker dat hij nooit zou meegaan met deze gezellige groep. Norbert… weet hij wel wat hij mist? Zwijgend en in gedachten eet ze verder. Ze merkt niet dat Robin haar met een peinzende blik zit te bekijken.

Als het dessert is opgediend, komt Huib opnieuw overeind.

'Lieve mensen,' zegt hij, 'u hebt gezien dat Harro erbij is geko men. Hij gaat vanavond een verhaal vertellen aan de kinderen. Als u daar bij wilt zijn, dan wordt u hartelijk uitgenodigd. Om halfacht in de grote zaal. Voor de televisiekijkers is er de kleine zaal.'

'Ssst, wees stil. De koning is ziek. De kabouters lopen op hun tenen door het paleis.'

Harro heeft de volle aandacht van de kinderen. En ook van de volwassenen.

'Het is een vreemde ziekte. De koning heeft overal groene vlekjes. Op zijn gezicht en op zijn handen. Niemand heeft dat ooit meegemaakt. Hij heeft al tien drankjes geprobeerd. Maar die helpen geen van alle. Dan komt er een heel oude, wijze kabouter. Die weet raad. Diep in het bos woont een vogel met gouden veren. Als je met een van die veren over die rare vlekjes strijkt, dan zullen ze verdwijnen en zal de koning weer beter worden.

"Die vogel gaan we vangen," roepen de kabouters.

"Nee," zegt de wijze kabouter, "de gouden vogel van het geluk kun je niet vangen. Alleen als je het aan hem vraagt, zal hij je misschien een van zijn veren geven."

"We gaan hem zoeken," roepen de kabouters. "Waar kunnen we die vogel vinden?"

"Vraag de weg aan de bosbewoners. En luister naar het gefluit van de vogel."

De kabouters gaan op pad.'

Sophie luistert met plezier. Wat kan die Harro vertellen. De kinderen gaan helemaal op in zijn verhaal.

De kabouters komen een vos tegen, die hen de verkeerde kant op stuurt. Maar gelukkig horen ze de vogel fluiten, zodat ze de goede weg weer vinden. Ze komen bij een oud vrouwtje. Die wil hun de weg wel wijzen, maar dan moeten ze eerst een raadsel oplossen. De eekhoorn wil hen alleen maar helpen als ze hem tien dikke denappels brengen. Na een lange zoektocht komen ze eindelijk bij een dikke boom. Boven hun hoofd zit de vogel te fluiten.

Hier houdt Harro op met vertellen.

'Morgen zien we hoe het afloopt,' zegt hij.

'Nee, nu,' roepen de kinderen.
Maar Harro staat op en geeuwt.
'Ik moet nodig naar bed.'

Later op de avond buigen Sophie en Marjolein zich over de kaart van Gelderland. Hun vingers zwerven door de omgeving van Arnhem. Marjolein weet er veel over te vertellen.

'Het wordt de Veluwezoom of de Achterhoek,' denkt Sophie na een poosje hardop.

'Allebei prachtig wonen,' zegt Marjolein. 'De Achterhoek is mogelijk nog wat rustiger.'

'Dan ga ik daar eerst kijken,' besluit Sophie.

'Waar is meneer Harper gebleven?' vraagt Marjolein.

'Geen idee. Morgen wordt er over zijn project beslist. Misschien moet hij nog iets controleren.'

'Hangt er veel van af?'

'Ja, nogal.'

En niet alleen wat het werk betreft, denkt Sophie. Ook voor zijn gevoel van eigenwaarde zal het goed zijn als de plannen worden goedgekeurd. Dat iemand met zo veel talenten zo wankelmoedig kan zijn, verbaast haar.

Er wordt koffie rondgebracht. Ze vouwen de kaart op. Sophie denkt aan het verhaal over de kabouters.

'Waarom hield Harro zo plotseling op, juist toen de afloop in zicht kwam?'

'Gemeen, hè?'

'Nogal.'

'Morgenmiddag gaan we het verhaal uitspelen met de kinderen. We kunnen nu dus nog niet weten of de kabouters hun zoektocht tot een goed einde brengen.'

'Wat een leuke dingen doen jullie toch.'

'Harro en Anouk bedenken het meeste.'

'Heb jij ook een taak?'

'Ik ben het bosvrouwtje.'

'Waar spelen jullie?'

'In het achterste stuk van de tuin en in het eerste gedeelte van het bos. Daar moet ik ergens onder een sparrenboom zitten, alsof ik in een huisje ben. Een grote omslagdoek doet de rest.'

'Ik wilde wel dat ik er iets van kon zien. Maar ik denk dat jullie er geen pottenkijkers bij kunnen gebruiken.'

'Dan gaat de magie verloren.'

'Hoe gaan de kinderen het bos in? Met z'n allen?'

'Ja. Anouk en Dorien gaan mee. Alleen als begeleiding. De kinderen moeten zelf de weg zoeken en de opdrachten uitvoeren.'

Sophie wil de zaterdag gebruiken om een aantal makelaarskantoren te bezoeken. Ze bestelt een lunchpakket en rijdt halverwege de ochtend richting Arnhem. De opengevouwen kaart ligt naast haar op de passagiersstoel. Ze heeft meer zelfvertrouwen dan een paar dagen geleden. Komt dat door Marjolein, die haar aanmoedigt?

In het eerste dorp van haar lijstje vindt ze algauw een makelaar. Op haar gemak bestudeert ze de huizen die te koop zijn. Een paar komen in aanmerking. Ze stopt de kaartjes in haar tas en maakt een wandeling door het dorp. Zo te zien lopen er veel toeristen rond. Het is tenslotte volop vakantie. Hoe zou het hier in de wintermaanden zijn?

Ze rijdt naar het volgende dorp en kijkt om zich heen naar het landschap, zonder de weg uit het oog te verliezen. Het tweede dorp is groter maar minder toeristisch. Hier worden in het makelaarskantoor veel meer huizen te koop aangeboden, huizen tot in de verre omgeving. Ze is de enige klant en praat lang met de makelaar over haar wensen, maar ook over het verenigingsleven en de mogelijkheid om een schouwburg te bezoeken. Wat ze hoort, bevalt haar wel. Een uitgebreide bibliotheek, met leeskringen en regelmatig een auteur die iets komt vertellen. Kerkelijk leven met actiecomités, een kerkkoor en gespreksgroepen. Een fotografenclub, sportverenigingen, een tuinclub.

'Is er ook een speeltuin? En een kinderboerderij?'

De makelaar kijkt geschrokken. Eén seconde maar. Dan trekt er een begrijpende glimlach over zijn gezicht.

'Jazeker.'

Beladen met informatie gaat Sophie het kantoor uit. Dit dorp zou weleens iets kunnen opleveren.

Laat in de middag is ze terug in het hotel. Ze zoekt de rust van haar kamer op en ligt een poosje op bed, moe maar tevreden. Haar gedachten gaan naar Robin. Hoe zou het gesprek verlopen? Hij was zo zenuwachtig als een schoolkind dat zijn eerste spreekbeurt moet houden. Ze is benieuwd naar de verhalen waar hij straks mee terugkomt. En hoe hebben de kinderen het gehad? Hebben ze hun queeste volbracht en is de koning hersteld van die vreemde ziekte?

Voor ze het restaurant binnengaat, komt mevrouw De Wilde haar tegemoet.

'Meneer Harper heeft opgebeld dat hij niet bij de avondmaaltijd aanwezig zal zijn. De heren van het bedrijf hebben hem uitgenodigd met hen te dineren op de havezate. Hij vroeg me uitdrukkelijk dit aan u door te geven.'

'Dank u wel,' zegt Sophie. 'Ik vermoed dat er daarginds iets te vieren is.'

Zo zit ze alleen aan tafel en proeft van haar voorgerecht. Heel attent van Robin, denkt ze. Anders zat ze hier maar op hem te wachten.

Twee tafeltjes verder zit Coby bij een vriendelijk echtpaar dat zich over haar ontfermd heeft. Ze praten geanimeerd. Sophie voelt zich opgelucht.

Wanneer ze op het dessert wacht, staat Tessa plotseling bij haar.

'Oma, je zit helemaal alleen aan tafel. Zal ik bij je komen zitten?'

'Gezellig. Als je moeder het goedvindt.'

'Mama vindt alles goed.'

Sophie schiet in de lach. Marjolein is gemakkelijk. Maar ze zal de grenzen goed in het oog houden.

Tessa komt terug met Janneke in haar kielzog.

'Mag Janneke ook?'

'Natuurlijk.'

Ze schuiven aan.

'Waar is jouw meneer?' vraagt Janneke.

'Die is nog op zijn werk. Daar eet hij ook. En hoe is het vanmiddag afgelopen? Is de koning weer beter?'

Janneke begint te giechelen.

'Oom Huib was de koning. Hij lag op een stretcher bij de achterdeur. Zijn gezicht zat vol groene vlekken, het leek wel spinazie.'

'Konden jullie de weg door het bos vinden?' vraagt Sophie.

'Er hingen gekleurde draadjes aan de struiken,' zegt Tessa, 'dus dat was niet moeilijk.'

Het dessert wordt gebracht. Een poosje is het stil. Sophie geniet van de twee meisjes, die met grote aandacht hun toetje naar binnen werken. Janneke schraapt haar schaaltje helemaal schoon. Zodra ze klaar zijn, gaan ze verder met hun verhaal.

'Tessa's moeder was het bosvrouwtje. We moesten raadsels oplossen.'

Sophie luistert naar hun avonturen en leert intussen Janneke een beetje kennen. Van het spel in het bos heeft ze duidelijk genoten. Maar af en toe kijkt ze naar Tessa, alsof ze diens goedkeuring nodig heeft. Gelukkig doet Tessa niet bazig, ze is gewoon een aardig vriendinnetje.

'Hebben jullie de vogel horen fluiten?' vraagt Sophie.

'Ja. Hij heeft ons de weg gewezen. Anders waren we vast verdwaald. Want in het tweede bos hingen geen draadjes meer.'

Janneke kijkt er heel bezorgd bij.

'Nee toch,' zegt Sophie. 'Kabouter Anouk en kabouter Dorien waren er toch bij?'

'Maar die wisten de weg ook niet.'

Wat kan er al een gevoel van onveiligheid zitten in zo'n klein mensenkind, denkt Sophie.

'Was je vanmiddag ook in het bos, oma?'

'Nee, ik ben weggeweest met de auto.'

'Boodschappen doen?'

Sophie schiet in de lach.

'Een heel bijzondere boodschap. Je weet dat ik in Rotterdam woon. Mijn huis is veel te groot. Daarom zoek ik een kleiner huis.'

'Ben je naar Rotterdam geweest?'

'Nee, dat is te ver. Ik wil in de buurt van Arnhem gaan wonen.'

Tessa begint te stralen.

'Daar wonen wij ook.'

'Precies. Ik wil bij jullie in de buurt zijn.'

'Dan kun je bij ons op bezoek komen.'

'Een goed idee.'

'En dan gaan wij bij jou op bezoek.'

'Ook fijn. Maar dan moet ik wel eerst het goede huis vinden.'

'En verhuizen.'

En nog zoveel meer, denkt Sophie. Het huis moet misschien opgeknapt worden. Schoongemaakt en ingericht. En dan de tuin nog.

Ze ziet dat Janneke het gesprek met belangstelling volgt.

'Wij wonen in Velp,' zegt ze terwijl ze een van haar vlasblonde vlechtjes om haar vinger windt.

Sophie leest het verlangen in haar blauwe ogen.

'Dan kom je maar een keer met Tessa mee.'

Janneke straalt.

'Het kan best een paar maanden duren,' waarschuwt Sophie.

Als ze niet oppast willen ze volgende week al komen.

Het meisje komt de tafels afruimen. Vlak achter Jannekes rug struikelt ze over een tas. Het dienblad glipt uit haar handen. Met veel lawaai vallen de dessertschaaltjes aan scherven. Sophie ziet dat Janneke wit wegtrekt van schrik en helemaal verstijfd op haar stoel zit. Opeens begrijpt ze die extreme reactie van het kind. Ze legt haar hand op die van Janneke.

'Er is niks aan de hand, hoor. Wat een schrik nou toch.'

Janneke kalmeert snel. Ze probeert een glimlach en vindt het goed dat Sophie haar hand blijft vasthouden. Op dat moment staat Coby op van haar tafel en loopt langs de hunne.

'Dag mevrouw. Hebt u lekker gegeten?'

'Ja hoor.'

Lekker is anders, denkt Sophie. Maar in ieder geval was het een verrassing dat de beide meisjes bij me kwamen zitten.

'Zijn dat uw kleinkinderen?'

'Ja. Dit is Janneke en dat is Tessa.'

'Gezellig voor u.'

'Dat vind ik ook.'

Janneke heeft het goed gehoord. Als ze de eetzaal uit lopen, zoekt haar hand opnieuw die van Sophie.

Later op de avond zit Sophie in het prieeltje. Daar vindt Robin haar.

'Mijn muze! Ik dacht wel dat ik je hier kon vinden.'

'Kom zitten. Hoe is het gegaan?'

'Ze hebben de plannen volledig goedgekeurd.'

Sophie hoort de verbazing in zijn stem.

'Natuurlijk,' lacht ze. 'Die twijfel aan jezelf moet je eens overboord zetten.'

'Hm, nou ja. Ze hebben me gevraagd of ik toezicht wil houden op de uitvoering van de restauratie.'

'Geweldig. Gefeliciteerd!'

Robin zou willen dat ze hem even aanraakte, even een teken van verbondenheid gaf. Maar dat doet ze niet. Ze is gereserveerd. En eigenlijk is dat veel beter. Door haar rustige, bijna vanzelfsprekende waardering maakt ze dat hij weer in zichzelf kan geloven. Ze geeft hem vaste grond onder zijn voeten.

Robin denkt aan de wilde meid die de laatste jaren bij hem woonde. Ze hadden het goed zolang hij succes had in zijn werk. Al maakten ze ook regelmatig ruzie. Toen kwam de dag dat hij ontdekte dat zijn werkgever er met zijn ontwerp vandoor was gegaan. Hij was in alle staten. In plaats van hem te troosten lachte ze hem vierkant uit. Dat hij zo onnozel kon zijn. Haar minachting beroofde hem van zijn moeizaam verworven zelfrespect en bracht hem weer diepgaand aan het twijfelen. Een mislukkeling was hij. Hij kwam er in diezelfde tijd achter dat ze al lange tijd een intieme relatie had met zijn baas. Na dit dubbele verraad schopte hij haar de deur uit. In zijn woede en vertwijfeling zou hij hen allebei wel kunnen vermoorden.

Gelukkig kwam hij op dat moment in contact met zijn vrienden in Nederland. Dat bracht hem een nieuwe uitdaging, werk in een totaal andere omgeving. Hij ontmoette Sophie. Iedereen die hen ziet zal denken dat ze een stel zijn. Maar dat zijn ze niet. Sophie is zijn muze!

Er komt iemand het pad aflopen. Het is Lars. Hij groet beleefd en wil gauw doorlopen. Maar Sophie zegt: 'Lars, ik zit met een vraag.'

'Zegt u het maar, mevrouw.'

'Ik heb hier al een paar keer een vogel horen fluiten. En de kinderen hebben hem deze middag gehoord. Ken jij die vogel soms?'

Hij lacht verlegen. 'Ik heb hem ook wel gehoord.'

'Het is een knappe vogel. Hij zingt als een nachtegaal, en hij kent zijn Beethoven. Kan ik hem eens ontmoeten?'

Lars schuifelt wat heen en weer.

'Tja, dat is niet zo eenvoudig. De gouden vogel van het geluk laat zich niet vangen, volgens Harro. We kunnen alleen naar hem op zoek gaan.'

'En uiteindelijk een van zijn veren krijgen?'

'Dat weet je nooit van tevoren. Maar onderweg vind je dikwijls iets waar je blij mee bent. Kleine dingen die je rijk maken.'

'Dank je, Lars. Ik hoop dat jij ook af en toe zo'n gouden veer vindt.'

'Dank u wel.'

Hij loopt haastig verder, alsof hij bezorgd is over zijn vrijmoedigheid.

'Wat een levenswijsheid voor zo'n jonge knul,' verzucht Robin. 'Daar kan ik op mijn oude dag nog wat van leren.'

'Je hebt vandaag een gouden veer gekregen,' zegt Sophie. 'En je oude dag is nog lang niet aangebroken.'

En zelf heb ik hier ook brokjes geluk gekregen, denkt ze. Marjolein en de kinderen in de eerste plaats. Maar ook een nieuwe impuls voor de toekomst. Een droom die werkelijkheid wordt. En ten slotte, niet in het minst, de man die nu naast me zit. Zijn vriendschap, zijn aandacht. Zijn openheid over de misère in zijn leven. De wetenschap dat hij mij ook nodig heeft.

Die zondag is het regenachtig weer. Sophie is moe. Ze leest wat, maar kan haar aandacht er niet bij houden. 's Middags zoekt Marjolein haar op.

'Hoe is het gisteren gegaan?'

'O ja, de huizentocht. Jullie op zoek naar de vogel en ik op zoek naar een huis.'

'Allebei een brokje geluk,' vindt Marjolein. 'Heb je iets gevonden?'

'Een paar mogelijkheden.'

Sophie haalt de info uit haar tas. Marjolein bekijkt de folders kritisch.

'Het wordt hier natuurlijk wel op zijn voordeligst gepresenteerd,' zegt ze. 'Maar er zitten een paar heel aantrekkelijke huizen bij.'

'Het is een begin.'

'Ik wil best met je mee om de huizen in het echt te bekijken,' biedt Marjolein aan.

'Graag.'

Nog nooit heeft Sophie dit soort beslissingen genomen. Wilbert regelde alles voor haar. Het voelt onwennig dat ze nu haar leven in eigen hand moet nemen.

Marjolein lacht.

'Tenslotte wil ik wel weten waar ik straks met de kinderen op bezoek moet gaan.'

Het ontroert Sophie. Dit is allemaal zo nieuw, zo ongekend. Ze voelt zich rijk.

Marjolein ziet het. Ze wil Sophie niet in verlegenheid brengen.

'Hoe is het meneer Harper gisteren vergaan?' vraagt ze.

'Zijn ontwerp is goedgekeurd. De komende tijd mag hij verder aan het project werken.'

Marjolein vraagt zich af of er bij het zoeken naar een huis voor Sophie ook rekening gehouden moet worden met deze vreemde kerel. Ze ziet best dat hij Sophie het hof maakt. Die is daar wel een beetje gevoelig voor, maar verder kijkt ze naar hem zoals je naar een kind kijkt dat enthousiast over zijn spel vertelt. Verliefd is ze beslist niet. Hij trouwens ook niet. Er spelen waarschijnlijk heel andere gevoelens. Welke weet ze niet precies. Ze hoeft het ook niet te weten. Die vriendschap is belangrijk voor alle twee.

Sophie denkt aan het gesprek in het prieel. Robins verbazing over de goedkeuring van alle plannen. En de grappige ontmoeting met Lars.

'Gisteravond waren we in de tuin. Lars liep langs en ik vroeg hem of hij de vogel kent die zo mooi kan fluiten.'

'En?'

'Hij werd heel verlegen. Ik had al een vermoeden dat hij het was.'

'Het is heel knap wat hij doet. Harro schakelt hem graag in bij een spel. Lars geniet er zelf ook van.'

'Wat een talenten heeft die jongen.'

Marjolein knikt.

'Renate en Daan zijn erg op hem gesteld.'

'Wie?'

'De familie De Wilde, de eigenaars. Renate is een vriendin van me. Verleden jaar kreeg Lars een heel mooi aanbod. Hij kon een baan krijgen bij een groot hoveniersbedrijf. Die mensen hadden gezien wat hij allemaal kon en boden hem een flink salaris. Zo ongeveer het dubbele van wat hij hier verdient. Maar hij bleef liever in De Wilde Roos.'

'Eigen baas.'

'In zekere zin wel. Hoewel hij natuurlijk gewoon werknemer is.'

'Ik merk dat hij veel liefde voor deze tuin heeft,' zegt Sophie.

'Dat is niet zo vreemd. Zijn vader heeft alles indertijd aangelegd. Lars heeft hem geholpen vanaf het moment dat hij lopen kon.'

Sophie lacht. 'Ik zie de peuter al hobbelen, op zijn laarsjes door de modder.'

'Zoiets, ja. Hij is helemaal vergroeid met de tuin. Hij kent er ieder grassprietje.'

'Van de planten weet hij ook erg veel, heb ik gemerkt.'

'Klopt. Hij heeft de tuinbouwschool gedaan en is zijn vader bijna vanzelfsprekend opgevolgd. Hij woont nog bij zijn ouders, hier vlakbij. Dit hotel was vroeger eigendom van een rijke familie. Vandaar die mooie tuinen.'

'Ze zijn inderdaad schitterend,' beaamt Sophie. 'Ik heb zelden zoiets moois gezien. Terwijl we vroeger toch diverse beroemde tuinen hebben bezocht, Wilbert en ik.'

'Wilbert ging mee?'

'Een enkele keer kreeg ik hem zover. Zelfs hij zag dat ze prachtig waren.'

8

R enate de Wilde beleeft een moeilijke maandag. Het is hun
vrije dag, maar daar komt weinig van terecht. Bij het ontbijt,
in hun eigen kamers, zegt Daan: 'Vandaag ga ik weg.'

Het komt heel onverwacht.

'Waar wil je naartoe?'

'De familie Van Arkel opzoeken.'

'Helemaal naar Zuid-Limburg!'

'Zo ver is dat niet.'

'Heb je een afspraak gemaakt?'

'Gisteravond. Ze vonden het een goed plan.'

Renate knikt, al is ze er niet blij mee. Daan voelt zich af en toe
benauwd bij al de mensen die hun hotel bevolken en bij het werk
dat dagelijks op hem wacht. Dan moet hij er even tussenuit.
Vroeger probeerde ze hem te weerhouden van zulke impulsieve
plannen. Nu weet ze dat hij het nodig heeft. Hij moet wat spanning kwijt. Morgen zal hij een stuk rustiger zijn.

Het echtpaar Van Arkel logeert ieder jaar wel een paar keer in
hun hotel. Het zijn rustige, aardige mensen, die de zestig gepasseerd zijn. Daan maakt vaak een praatje met hen. Maar echte
vriendschap is het niet. Behalve in het hoofd van Daan. Hij wil
naar hen toe en ze zijn vriendelijk genoeg om hem welkom te
heten. Hebben ze iets gezien van zijn innerlijke onrust?

Na het ontbijt zwaait ze hem uit. Een knappe man, rijdend in
een onwaarschijnlijk dure sportwagen.

Om tien uur zit ze in het kantoor koffie te drinken met Jessica.
Op de halfopen deur wordt geklopt. Renate gaat kijken. Twee
geagiteerde dames beginnen tegelijk tegen haar te praten.

'Wat is er aan de hand, dames?'

Renate kijkt een van hen uitnodigend aan. Die doet nu het
woord.

'Mevrouw De Wilde, er is een ring gestolen uit onze kamer.'

Renate schrikt. Zoiets is nooit eerder gebeurd.

'Vertelt u eens.'

'Het is een heel dure ring, een erfstuk. Ik leg hem voor we naar
bed gaan altijd op het plateautje in de badkamer. Vanmorgen

waren we erg laat voor het ontbijt, zodat we ons vreselijk hebben gehaast. Ik heb de ring niet aangedaan. Toen we terugkwamen was hij verdwenen.'

'Lag hij er wel voor u naar beneden ging?'

De dames kijken elkaar aan.

'Natuurlijk lag hij daar,' zegt de eerste.

De ander aarzelt.

'Ik herinner me niet dat ik hem daar heb zien liggen.'

'Ach Marie, natuurlijk heb je hem gezien. Hij ligt daar altijd.'

Renate is blij dat de deur naar het kantoor openstaat. Ze weet zeker dat Jessica meeluistert. Niet uit nieuwsgierigheid, maar zodat ze straks kan helpen naar een oplossing te zoeken.

'Herinnert u zich dat u de ring daar gisteravond hebt neergelegd?'

'Jazeker.'

Het antwoord komt iets te snel naar Renates zin.

'Denk eens goed na, hebt u al op andere plekken gezocht? Misschien is de ring op de grond gevallen of hebt u hem in een onberaden ogenblik ergens anders neergelegd.'

'Nee, waarom zou ik dat doen?'

'Zal ik u helpen zoeken?' biedt Renate aan.

'Och, waarom? We vinden hem toch niet,' zegt de bestolene.

'Toe Anna, doe het nou maar.'

'Nou, goed dan.'

Renate gaat met hen mee naar boven en zoekt op de vloer van de badkamer. Ze vraagt de beide dames of ze in tasjes en jaszakken willen kijken. Het levert niets op.

'Hebt u de kamer steeds op slot gedaan?'

'Ja, beslist.'

Renate is ervan overtuigd dat de ring op een onwaarschijnlijke plek ligt. Hij kan bijna niet gestolen zijn.

'Ik zal bij de lunch vragen of iemand hem toevallig heeft gezien.'

De dames vinden het maar niks.

'Waarom belt u de politie niet?'

'Daar is het nog te vroeg voor.'

'Dat meent u niet, die mensen zijn al uren aan het werk.'

Renate zucht. Ze wilde wel dat Daan in de buurt was. Die zou de dames onmiddellijk geruststellen.

'Laat uw gedachten er nog eens over gaan,' adviseert ze. 'Misschien weet u opeens waar u moet zoeken.'

Beledigd kijken ze haar aan. Zo vergeetachtig zijn ze heus niet.

Halverwege de lunch gaat Renate de eetzaal in.

'Dames en heren, mag ik even uw aandacht? Er is een kostbare ring zoekgeraakt, waar een van onze gasten bijzonder aan gehecht is. Het is een gouden ring met een ovale saffier. Mocht iemand hem vinden, dan kunt u de eigenares heel blij maken.'

Renate verdwijnt. In de eetzaal klinkt geroezemoes. Iedereen heeft er wel wat over te zeggen. Boven alles uit klinkt de verontwaardigde stem van Anna.

'Er lopen hier tegenwoordig zulke vreemde figuren rond, dan kun je zoiets verwachten.'

Sophie verslikt zich bijna in haar boterham. Schijnbaar onaangedaan eet ze verder, al merkt ze dat er blikken op haar tafeltje worden geworpen. Robin is er niet en daar is ze blij om. Maar die twee dames, die musjes die geen dames zijn…

Plotseling staat Anouk bij hun tafeltje.

'Mevrouw,' zegt ze, 'ik wil graag weten wat u bedoelt met vreemde figuren. Is het soms een van ons?'

Ze wijst naar de tafel van de kinderen.

'Eh, nee.'

'Hebt u last gehad van de kinderen? Of van ons?'

'Nee, echt niet.'

Het is doodstil geworden in de eetzaal.

'Welke vreemde figuren bedoelt u dan?'

Er komt geen antwoord.

'Ziet u,' vervolgt Anouk, 'wij hebben de verantwoordelijkheid voor een groep kinderen. En als er hier iemand rondloopt die niet te vertrouwen is, dan horen wij graag wie dat is.'

'Och, zo erg is het nou ook weer niet.'

'Mogelijk is het wel erg. Bedoelt u een van de gasten?'

'O nee, nee hoor.'

'Lopen er buiten het hotel onbetrouwbare lieden rond?'

'Ja, dat zou zeker kunnen.'

'Dan raad ik u aan daar met de familie De Wilde over te praten.'

Anouk loopt terug naar haar tafel.

'Applaus!' zegt iemand.

Sophie is het er gloeiend mee eens. Die Anouk!

Na het eten komt Marjolein haar achterop.

'Wij gaan dit wel even melden bij mevrouw De Wilde.'

'Daar ben ik blij om. Ik heb respect voor Anouk.'

'Zeg dat maar tegen haar.'

'Doe ik. Wat gaan jullie vanmiddag doen met de kinderen?'

'We gaan molentjes maken. Je weet wel, die je op een stokje kunt vastmaken en dan ermee rondhollen of fietsen.'

'Gelukkig regent het niet meer.'

'En wat ga jij straks doen, Sophie?'

'Een poosje rusten.'

'Droom maar van je toekomstige tuin.'

En dat doet Sophie. Terwijl ze op bed ligt, stelt ze zich allerlei borders voor met de mooiste combinaties. Ze wordt er helemaal rustig van en dommelt in. Als ze wakker wordt, is het tijd om thee te gaan drinken. Ze neemt er de tijd voor. Daarna zoekt ze de tuin op. Dromen is prachtig, maar de werkelijkheid geeft ook ideeën. Gewapend met haar aantekenboekje wandelt ze over de paden. Af en toe staat ze stil om iets op te schrijven. Plotseling staat er iemand naast haar.

'Robin! Wat ben jij vroeg.'

'Voor vandaag is het mooi geweest. Wat ben je aan het doen?'

'Ideeën verzamelen. Ik bedacht me zojuist dat ik hier in de nazomer nog eens wil komen. Dan bloeien er weer andere planten.'

'Juist. Je toekomstige tuin moet in ieder seizoen interessant zijn.'

'Dat is de kunst. Ik heb er zin in.'

Ze wandelen samen verder. Sophie vraagt zich af of ze Robin moet vertellen over de onverkwikkelijke geschiedenis bij de lunch. Waarschijnlijk zal hij erom lachen, maar het zou hem ook kunnen bezeren. Ze besluit dat ze er niets van zal zeggen. Van iemand anders zal hij het verhaal evenmin horen.

'Wanneer ga je je schilderij ophalen?' vraagt Robin.

'Deze week. Ik zal straks bellen om een afspraak te maken. Wanneer schikt het jou?'

'Liefst de tweede helft van de middag. Het doet er niet toe welke dag.'

Ze gaan de achterste tuin in. Hier zijn minder borders dan in de tuin vlak bij het hotel. Heesters en bomen hebben de overhand. Na de regen van het afgelopen etmaal hangt er nog een vochtige damp onder het hoge bladerdak. Ze snuiven de mossige geur op.

Robin staat opeens stil. 'Hé, wat is dat?'

Ergens verder in de tuin klinken angstige geluiden. Een kind dat roept. Robin spurt weg. Sophie volgt hem zo vlug ze kan. Als ze voorbij een groep heesters komt, ziet ze Robin een eind voor zich uit rennen in de richting van de vijver. En in die vijver is een kind dat uit alle macht probeert eruit te komen. Sophie ziet een blonde kuif en twee heftig maaiende armen. Het is Peter! Ze schrikt en loopt nog harder.

Robin is al bij de vijver. Hij plonst erin zonder aarzelen.

'Rustig, jonkje, ik kom eraan.'

Robin worstelt zich door de vele wortels en stengels van waterplanten.

Sophie staat hijgend op de oever. Ze ziet dat het water Robin net boven de knieën komt. Zo diep is die vijver dus niet. Maar Peter staat tot boven zijn middel in het water. Hij kan zich duidelijk niet ontworstelen aan al die stengels en wortels. Ze ziet de angst in zijn ogen.

Robin waadt zonder aarzelen verder tot hij vlak bij de jongen is. Hij pakt hem onder zijn oksels, trekt hem voorzichtig omhoog, legt hem over zijn schouder en begint aan de terugtocht. Nu mag hij zeker niet struikelen. Voorzichtig zet hij de ene voet voor de andere. Sophie wilde wel dat het wat vlugger ging, maar ze begrijpt dat Robin zijn kostbare last niet opnieuw in het water wil laten plonzen.

Als ze vlak bij de kant zijn, neemt ze de jongen van Robin over. Even drukt ze hem tegen zich aan. 'Peter toch!' Dan zet ze hem op z'n eigen benen.

Ze geeft Robin een hand en helpt hem op de oever te klimmen.

Opgelucht kijken ze elkaar aan. Het modderwater druipt van Peter en Robin af. Slierten planten hangen aan hun kleren. Maar het is goed afgelopen.

Peter begint te huilen.

'Kom, naar je moeder,' zegt Robin.

Ze nemen hem bij de hand en gaan met haastige stappen terug naar het hotel. Bij de achterdeur staan ze stil. Sophie loopt naar binnen. Alleen Anouk is in de bijkeuken.

'Waar is Marjolein?'

'Die zoekt Peter. Lieve help, wat is er met u gebeurd?'

Nu pas beseft Sophie dat ze ook onder de modder zit.

'Peter is terecht,' zegt ze. 'Waar kan ik Marjolein vinden?'

'Waarschijnlijk op het speelveld.'

Sophie gaat naar buiten. Juist op dat moment komt Marjolein aanlopen. Sprakeloos van schrik kijkt ze naar de twee bemodderde figuren bij de achterdeur. 'Wat is hier gebeurd? Blijf alsjeblieft staan, ik haal mevrouw De Wilde.'

'Zullen wij onze schoenen maar vast uitdoen, Peter?' zegt Robin.

Peter knikt bedremmeld. Sophie helpt hem. Natte schoenen zijn lastig, dat weet ze van vroeger.

Marjolein en Renate komen aanlopen met een stapel handdoeken. Marjolein trekt resoluut Peter al z'n kleren uit, droogt hem stevig af en wikkelt hem in een grote handdoek.

'Zo, mee naar boven en in bad jij.'

Robin heeft ook een handdoek gekregen. Hij veegt het ergste vuil van zijn kleren en voeten. Dan grijnst hij. 'Verder kan ik moeilijk gaan. Maar zo kan ik echt niet door uw hotel lopen.'

'Er is hier beneden een douche voor het personeel. Wilt u daar gebruik van maken?'

'Heel graag.'

Renate is praktisch.

'Ik zal u de badjas van Daan geven. Dan kunt u zich na het douchen boven aankleden.'

Robin stapt achter Renate de bijkeuken in. Voor hij in de douche verdwijnt, geeft ze hem een grote teil.

'Doe daar uw vuile kleren maar in, dan stop ik die gelijk met

Peters kleren in de wasmachine.'

Sophie ziet dat ze nergens mee kan helpen. Ze gaat naar haar kamer en trekt iets anders aan. Nu alles achter de rug is, beseft ze pas goed aan welk gevaar Peter is ontsnapt. Had hij op eigen kracht uit die vijver kunnen komen? En wat zou er gebeurd zijn als hij in paniek was geraakt? Hij is nog zo klein. Wat een geluk dat ze net in de buurt waren.

Ze gaat naar beneden, op zoek naar een pittige kop koffie. In de kleine zaal vliegt Tessa op haar af.

'Oma, wat is er met Peter gebeurd?'

'Hij is in de vijver gevallen. Meneer Harper heeft hem eruit gehaald. Nu is je moeder bezig hem in bad te stoppen.'

'Ik wil naar ze toe.'

'Doe dat maar niet. Ze komen zo meteen weer beneden. Zal ik je voorlezen?'

'Ja, goed.'

'Zoek jij een boek uit, dan haal ik even koffie.'

Even later zit ze op de bank met een kop koffie voor zich. Tessa is tegen haar aangekropen. Janneke leunt aan de andere kant tegen haar aan.

'De haas kwam bij een brede sloot,' leest Sophie. 'Zou ik hier wel over kunnen springen? dacht de haas. Of is er een brug? Aan de overkant stond het schaap. Spring nou, haas, waar wacht je op? Ik vind die sloot zo breed, riep de haas. Neem dan een hele lange aanloop, dan lukt het je wel…'

Een klein meisje met zwarte krulletjes en donkere ogen komt erbij staan. Janneke duwt haar weg.

'Nee Daisy, oma is óns aan het voorlezen.'

Teleurgesteld loopt de peuter weg. Sophie zwijgt. Tessa wijst in het boek.

'Hier zijn we.'

'Ja,' zegt Sophie.

'Lees je niet verder, oma?'

'Nee, ik wacht op Daisy. Ga haar eens ophalen, Janneke.'

Janneke aarzelt.

'Zal ik het doen?' vraagt Tessa.

'Nee, Janneke gaat Daisy halen.'

Vijf minuten later leest Sophie verder. Daisy zit bij haar op schoot, de andere twee naast haar, ieder aan een kant. Ruimte genoeg, denkt Sophie. Als de haas nu maar veilig aan de overkant komt. Want weer een drenkeling, dat zou te veel van het goede zijn.

Marjolein laat het bad vollopen en doet er een scheut badschuim bij.

'Klim er maar in, Peter.'

'Blijf je bij me?'

'Ja hoor.'

De angst zit er nog in, denkt Marjolein. Dat heeft ook een goede kant. Ze wast hem uitvoerig en laat hem daarna nog een poos in het water zitten. Intussen gaat ze na wat er gebeurd kan zijn. De molentjes werden een succes. Toen alle kinderen ermee klaar waren, mochten ze naar buiten om rond te rennen en hun werkstukken uit te proberen. Even bleef ze staan kijken naar de vrolijk draaiende molens en luisteren naar het enthousiaste geroep van de kinderen. Toen ging ze naar binnen om Anouk te helpen met opruimen. Tien minuten later was Peter nergens meer te zien. Geen van de kinderen wist waar hij was. Marjolein ging hem zoeken, al was ze niet echt bezorgd. Ze keek op het speelveld, een logische plek om heen en weer te rennen met een molentje. Hij was er niet, dus liep ze terug naar de achterplaats. En daar stonden ze. Twee mannen, een kleine en een grote, druipend van de modder. Sophie stond er met een bezorgd gezicht naast. Gelukkig, hij is terecht, was Marjoleins eerste gedachte. En daarna kreeg de schrik haar te pakken. Peter was in het water gevallen! Hij had wel kunnen verdrinken. En meneer Harper die hem kennelijk eruit heeft gevist. Vóór de paniek haar te pakken kreeg ging ze over tot daden. Gelukkig was Renate gauw gevonden. En nu zit ze naast de badkuip te bekomen van de emoties. Pas als ze helemaal rustig is vraagt ze: 'Wat is er gebeurd?'

'Ik viel in het water en ik kon er zelf niet meer uit klimmen.'

Marjolein rilt van ellende.

'En toen?'

'Ik heb geroepen, maar er was niemand.'

'En verder?'

'Toen kwam die opa. Hij ging zomaar de vijver in. Hij is heel sterk, want hij droeg me zo naar de kant. En daar was oma.'

Marjolein ziet het voor zich. Wat een geluk dat Sophie en Robin in de buurt waren.

Opeens realiseert ze zich met schrik dat ze in alle consternatie Robin nog niet heeft bedankt. Dat zal ze straks direct doen. Maar eerst moet haar zoon duidelijk horen waar zijn grenzen zijn. 'Je wist dat je niet zonder grote mensen in de tuin mocht komen.'

Peter knikt.

'Waarom ging je er dan toch heen?'

'Rik had gezegd dat er visjes in de vijver zaten. En die wilde ik zien.'

'Daarom mocht je nog niet alleen gaan. Waarom vroeg je niet of ik meeging?'

'Jij was met Anouk aan het werk.'

'Dan had je het aan oma kunnen vragen. Of aan meneer Harper.'

'Die waren er ook niet.'

'Moest je die visjes dan meteen zien?'

'Ja.'

Typisch Peter, denkt Marjolein. Impulsief, zonder gevaar te zien.

'Als wij iets verbieden, dan is dat niet om je te plagen. Maar om te zorgen dat er geen akelige dingen met je gebeuren.'

De tranen beginnen weer te stromen.

'Vind je mij stout?'

'Je bent het liefste manneke van de hele wereld. Maar je moet wel gehoorzaam zijn. Zullen we nog wat badschuim in het water doen en daar een hele hoge toren van maken?'

Dat is iets wat Peter graag doet. Hij trappelt met zijn voeten tot het schuim boven de rand van het bad uit komt.

Robin staat lang onder de douche. Er staat gel en daar maakt hij uitvoerig gebruik van. Hij grijnst en zegt tegen zichzelf dat hij dat wel verdiend heeft. Bovendien wil hij niet stinken als een

125

moeras wanneer hij straks weer in beschaafd gezelschap is. Er liggen grote, zachte badhanddoeken klaar. En aan een haakje hangt de beloofde badjas. Wat een weldaad, zo'n zorgzame vrouwenhand. Nu moet hij zijn kamer zien te bereiken zonder al te veel mensen tegen te komen. Hij kiest voor de lift. In het gangetje beneden is niemand. De lift schommelt naar boven. Als de deuren openschuiven stapt hij opgewekt naar buiten. Twee dames krijgen een doodschrik van de enge vent die onverwacht tevoorschijn komt. Ze zoeken steun bij elkaar.

'O Anna!'

'Nee toch!'

Robin schuift snel langs hen heen en loopt naar het eind van de gang. Opeens staat hij stil. Hij heeft de sleutel niet. Die zit nu natuurlijk samen met zijn kleren in de wasmachine. Moet hij warempel weer terug. De dames zullen denken dat hij hen wil belagen en zullen op z'n minst flauwvallen van schrik. Voor alle zekerheid probeert hij zijn kamerdeur. Die blijkt niet op slot te zijn. Binnen ligt de sleutel op hem te wachten. Mevrouw De Wilde, denkt hij dankbaar, je bent voortreffelijk.

Op zijn gemak kleedt hij zich aan. Met de badjas over zijn arm gaat hij naar beneden, nu via de trappen. Hij vindt Renate bij de keuken.

'Mevrouw, mag ik u hartelijk bedanken voor uw goede zorg? Zelfs mijn kamerdeur was open.'

'Natuurlijk. Ik haal altijd alle zakken leeg voor ik kleren in de was doe. Zoals de meeste huisvrouwen.'

'O, eh… ja.'

'Uw spullen heb ik in onze eigen kamers gelegd. Ik zal ze halen.'

Ze loopt weg en komt na een paar minuten terug met Robins portemonnee, zijn portefeuille en een mapje met papieren. Hij bedankt haar nog eens en loopt weg. Peinzend kijkt ze hem na. Eigenlijk zou ze hém willen bedanken. Maar dat zal Marjolein wel doen.

Dan schiet ze in de lach. Want zojuist zijn twee dames zich komen beklagen.

'Hoogst ongepast, mevrouw De Wilde, dat iemand hier ongekleed door de gangen loopt. We dachten dat dit een fatsoenlijk hotel was.'

'O, liep er iemand zonder kleren rond?'

'Nou ja, hij had wel íéts aan. Maar veel te weinig.'

'En wie bedoelt u nu precies?'

Renate weet het antwoord al. En ze weet ook dat deze twee gasten gisteravond gemene insinuaties hebben geuit. Na deze week zullen ze niet meer welkom zijn in De Wilde Roos.

'Wij bedoelen die man met dat lange haar en die snor. Als je zulke verlopen types in een hotel toelaat, dan kun je de ergste dingen verwachten.'

De andere dame knikt. 'Mijn ring is ook al gestolen.'

Naast het bord van Robin staat een vaasje met één roos erin.

'Wie heeft dat nou weer gedaan,' moppert hij.

'Ik zou het niet weten,' zegt Sophie, 'maar je roem is je al vooruit gesneld.'

Het lijkt er inderdaad op dat de meeste gasten op de hoogte zijn van zijn avontuur bij de vijver.

'Waarom kijken die mensen zo naar ons?' vraagt Robin.

'Ze zijn er trots op dat ze een held in hun midden hebben,' lacht Sophie. 'Dat moet je hun gunnen.'

'Ik ben geen held. Ik was gewoon een modderige vent.'

'Maar nu zie je er weer heel fris uit. En je ruikt lekker. Ik vind het een voorrecht dat ik bij je aan tafel mag zitten.'

'Vanwege die geur uit de badkamer?'

Nu is Sophie weer ernstig.

'Nee, vanwege je kordate optreden. Het was best een gevaarlijke situatie voor Peter. Ik ben je heel dankbaar.'

Sophie ziet dat hij verlegen is met die prijzende woorden. Toch wil ze het gezegd hebben.

'Nog even en ik loop weg,' zegt hij.

'Niet doen. Dit is een goede oefening voor je. Je bent een held als je nu gewoon blijft zitten.'

Robin grinnikt. Wat is het goed om te lachen over je zwakke kanten, samen met iemand die je kent en begrijpt.

Opeens staat Marjolein bij hun tafel, met Peter in haar kielzog.

'Meneer Harper,' zegt ze, 'ik wil u hartelijk bedanken. Van Sophie begreep ik dat het best gevaarlijk was voor Peter.'

'Gelukkig waren we in de buurt.'

'Als u er niet was geweest… Ik moet er niet aan denen.'

Robin geeft gauw een andere draai aan het gesprek. 'Er staat hier zo'n mooie roos. Weet u daar meer van?'

'Ik denk dat mevrouw De Wilde die daar heeft neergezet.'

'Wat? Als dank voor de modder die we naar binnen liepen?'

'Welnee. Als dank voor uw optreden.'

Robin legt zijn hand even op die van Marjolein. 'Ik hoop dat u en Peter de schrik gauw te boven zijn. En kijk eens, daar is onze drenkeling ook.'

Peter doet een stap naar voren en zet zijn zelfgemaakte robot naast de roos. 'Die is voor u.'

'Maar Peter, wat geweldig. Heb jij die gemaakt?'

'Ja.'

'Hij is prachtig. Mag ik hem hebben?'

'Ja, omdat u, eh…'

Verder komt hij niet. Maar Robin snapt het wel. 'Daar ben ik heel blij mee, Peter.'

'Ja.' Hij holt terug naar zijn eigen tafel.

'Dit is een groot geschenk,' zegt Robin.

Sophie knikt. 'Hij vond het niet gemakkelijk.'

'Des te meer waardeer ik het gebaar.'

De soep wordt gebracht. En die smaakt verrassend goed. Sophie herinnert zich dat er op maandag altijd een kok uit het dorp komt. Ook de rest van de maaltijd is voortreffelijk.

Als ze hun dessert op hebben wenkt Robin dat Peter bij hem moet komen. 'Peter, ik weet niet goed waar de robot moet wonen. Ik heb namelijk nog geen eigen huis.' Robin kijkt bezorgd.

'Waar woont u dan?'

'In een stacaravan. En daar heb ik geen ruimte voor hem.'

'O.'

'Dus, wil jij nog een poos op hem passen? Als ik dan een eigen huis heb, komen jullie maar eens kijken. Jij en je robot en je moeder en je zusje. En oma Sophie. Dan vragen we aan de robot waar hij het liefste wil wonen. Bij jou of bij mij. Vind je dat een goed plan?'

Peter knikt enthousiast. Robin legt de robot in zijn handen.

'Dag robot, tot ziens, hoor.'

Marjolein zoekt Renate op.

'Is de was al gedraaid? Dan kan ik de boel ophangen.'

'Alles hangt al aan de lijn.'

'Nounou, jij vat je taak wel heel breed op.'

'Je bent gastvrouw of je bent het niet. Hoe gaat het met Peter?'

'Nog wel een beetje timide. Hij weet dat hij daar niet mocht komen.'

'Ik ben zo blij dat het goed is afgelopen, Marjolein.'

'Nou, ik ook. Had jij die roos bij het bord van meneer Harper gezet?'

'Ik heb het Lars gevraagd. Die doet zoiets met plezier. Wat een dag!'

Renate strijkt een pluk haar uit haar gezicht.

'Is die ring al terecht?'

'Nee. De dames kwamen zojuist vragen waarom ik de politie nog niet heb gebeld. Ik heb gezegd dat ze morgen maar zelf aangifte moeten doen.'

'Zou hij echt gestolen zijn?'

'Welnee. Het ding ligt natuurlijk op een plaats waar hij niet hoort.'

Renate is moe. Marjolein ziet het.

'En waar is Daan?'

'Een dag naar Zuid-Limburg. Hij moest er even tussenuit.'

Dat betekent een zorg extra voor Renate.

'Je hebt bepaald geen vrije dag.'

'Morgen gaat alles beter.'

'Zal ik vanavond een glaasje wijn met je komen drinken?'

'Een goed idee, daar ben ik wel aan toe.'

'Als de kinderen slapen. Ik vraag Dorien of ze een oogje in het zeil houdt.'

Om negen uur zitten ze samen in Renates huiskamer, een glas wijn in hun hand.

'Op je gezondheid, Marjolein. En op die van je kinderen.'

'Proost, Renate.'

'Is Peter lekker gaan slapen?'

'Hij leek heel rustig. Als hij vannacht akelig droomt, dan merk ik het wel. Ze zeggen dat dromen een vorm van verwerking is.'

'Als je vannacht iets uit de keuken nodig hebt, dan kom je maar.'

'Ben je mal, Renate. Jij moet slapen. Peter krijgt hooguit een glaasje water.'

'Wat ben jij hard voor je kinderen.'

'Dat klopt, ik ben een monster.'

'Gelukkig hebben ze er nu een lieve oma bij gekregen. Denk je dat die beeldhouwer er straks als een soort opa bij gaat horen?'

'Hij is geen beeldhouwer, hij is tuinarchitect. En hoe het tussen hem en Sophie gaat, dat moet ik afwachten. Zo goed ken ik hen nog niet. Ik mag nog niet eens Robin zeggen.'

Renate lacht.

'Noemt hij jou wel bij je voornaam?'

'Nee, stel je voor,' zegt Marjolein aanstellerig.

Ze giechelen als jonge meiden. Renate ontspant helemaal.

Marjolein blijft niet lang, want morgenochtend komen de kinderen weer vroeg. Die weten niet wat uitslapen is.

Renate spoelt de glazen om. De telefoon gaat. Ze schrikt. Zou er iets met Daan zijn? Hij is wel erg laat.

'Hallo ma, met Vincent.'

'Dag jongen,' zegt ze verrast, 'is alles goed met je?'

'Prima. Was je nog niet naar bed?'

'Nee hoor.'

'Ik kom er net uit.'

'Waar zit je op dit moment?'

'Ten zuiden van Perth. Ik werk in een klein hotel en verdien handenvol geld.'

'Wat doe je voor werk?'

'Bijna alles. Bedienen, de balie, schoonmaken. Het is hier een ongeorganiseerde bende. Mijn handen jeuken als ik dat zie.'

'Je mag je er natuurlijk niet mee bemoeien.'

'Nee, ik ben maar een noodhulp. Weet je, zo langzamerhand

krijg ik toch wel zin in het hotelvak.'

Renate voelt een schok van vreugde door zich heen gaan. Na zijn middelbare school wist Vincent niet welke opleiding hij wilde volgen. Een aantal maanden hielp hij mee in De Wilde Roos. Daan vond dat hij naar de hotelschool moest gaan. Zo zou de opvolging meteen geregeld zijn. Vincent voelde er niet voor. Hij vertrok naar Australië, om iets van de wereld te zien. En nu wenkt het hotelvak toch.

'Dat klinkt me prettig in de oren,' zegt Renate. 'Ik denk dat je er de capaciteiten voor hebt.'

'Dank je, ma. Hoe gaat het in De Roos?'

'Goed. Het is vakantietijd, we zijn helemaal volgeboekt. We beleven van alles met de gasten, te veel om je nu te vertellen.'

'Dan hang ik weer op, anders hou ik geen geld over voor de terugreis. Welterusten, ma.'

'Dag Vincent, fijn dat je belde.'

Renate geniet na van het gesprek. Vincents opgewekte stem, zijn plannen voor de terugreis en een verdere opleiding...

Pas dan bedenkt ze dat hij niet naar zijn vader heeft gevraagd. Geen wonder. Al vanaf zijn twaalfde jaar heeft de jongen zich geërgerd aan Daans wispelturigheid. Terwijl hij een stevige vaderfiguur nodig had, moest hij voortdurend rekening houden met een man wiens stemming zo wisselvallig was als het weer. De ene dag zat hij vol grapjes, de volgende was hij somber en zwijgzaam. Vooral de manier waarop Daan de charmante gastheer uithing, vond hij vreselijk. Toen hij zestien was, zei hij er iets van.

'Doe toch gewoon, pa.'

Daan kreeg een woedeaanval en Vincent liet zich een paar dagen niet zien. Renate voelde zich tussen twee vuren zitten. Ze wilde geen partij kiezen. Allebei waren ze kwetsbaar.

Na die dag boterde het niet meer tussen vader en zoon. Ten slotte vertrok Vincent naar het andere eind van de wereld.

Renate merkt dat hij volwassener is geworden. Als hij terug is, zal hij wel zo verstandig zijn om op zichzelf te gaan wonen.

Ze gaat naar bed en denkt verder na over een eventuele toekomst. Kan Vincent straks een gezond bedrijf overnemen? Het hotel draait goed. Dat is mede te danken aan de inzet van hun personeel. Maar de winstmarge is krap. In de grote hotelketens wordt veel meer verdiend. Ze kunnen met scherpere prijzen werken. Toch heeft De Wilde Roos als familiehotel iets anders te bieden. De gasten zijn hier thuis. Zij en Daan voelen zich soms als de vader en moeder van een groot gezin.

De accountant heeft hen wel gewaarschuwd.

'Financieel kan uw bedrijf geen grote klappen opvangen. Er is achterstallig onderhoud. De tuin is te groot en er is grond die niet benut wordt.'

Tja, die tuin. Renate weet dat hij prachtig is. Ze heeft er een keer met Lars over gesproken of ze er een rozenkwekerij van konden maken. Een apart bedrijf, maar wel naast het hotel. Ze zouden samen reclame kunnen maken.

Lars vond het een mooi idee, maar hij gaf eerlijk toe dat ze van hem geen deskundigheid kon verwachten.

'Ik ben maar een eenvoudige tuinman. Van rozen kweken heb ik niet zo veel verstand. En van bedrijfsvoering nog minder.'

'Je bent een geweldige tuinman, Lars. Over de rest moeten we nog maar eens goed nadenken. Het was maar een idee.'

Renate ligt nog lang wakker, luisterend of er een sportwagen de parkeerplaats oprijdt. Ze is net ingeslapen als ze weer wakker wordt doordat Daan thuiskomt. Halftwee! Nog een paar uurtjes en dan begint de nieuwe dag alweer. Wanneer hij naast haar in bed kruipt, houdt ze zich slapend.

9

R enate zit tegenover Daan aan de keukentafel te ontbijten. Ze roert in haar koffie.

'Hoe was het gisteren?'

'Heerlijk. Wat zijn die Van Arkels toch prima mensen. Zo hartelijk. Ze wilden ook horen of het hotel goed loopt.'

Renate vermoedt dat hij daar flink over heeft opgeschept. Geen beter hotel dan het hunne in heel de regio.

'Was het druk op de weg?'

'Dat viel wel mee. Hoe ging het hier? Nog bijzondere dingen?'

'Iets heel vervelends. De dames Marie en Anna zijn een kostbare ring kwijt. Ze denken dat hij gestolen is.'

'Bij ons wordt niet gestolen.'

'Had ik ook al gedacht.'

'O, maar wacht eens.'

Daan zoekt in de zakken van zijn colbertje en haalt als een goochelaar iets tevoorschijn. Met een triomfantelijk gebaar legt hij het op tafel. Een gouden ring met een ovale saffier.

Renate is perplex.

'Hoe kom je daar nou aan?'

'Heel eenvoudig. Gistermorgen gaf Tonny hem aan mij.'

Tonny is een van de huishoudelijke hulpen. Ze werkt 's ochtends in het hotel.

'En hoe kwam Tonny eraan?'

'Ze vond hem in het damestoilet in de benedengang.'

'Op de grond?'

'Welnee, gewoon bij het fonteintje.'

'Wat jammer dat wij dat niet wisten. We hebben overal gezocht, we hebben de gasten geïnformeerd. De dames wilden de politie al inschakelen.'

'Gelukkig is hij terecht. Ik ga hem meteen naar hen toe brengen.'

Renate is nijdig. Wat vreselijk nonchalant van Daan. Hij had haar al die trammelant kunnen besparen. En nu verdwijnt hij met een overwinnaarsgezicht naar het restaurant. Hij zal zichzelf wel als de grote helper presenteren. Ze hoeft het niet te zien.

Marjolein zit vlak bij de dames. Ze ziet Daan bij hun tafeltje stilstaan.

'Goedemorgen, dames. Lekker geslapen?'

'Niet zo best.'

'Hoe komt dat?'

'Gisteren is mijn ring gestolen. We zijn bang dat de dief hier in het hotel verblijft. En daar voelen we ons niet zo rustig bij.'

'Uw ring was kwijt? Kijk eens hier.'

Daan legt de ring op hun tafel.

'O, meneer De Wilde, wat geweldig! Waar was hij nou?'

'Hij lag in het toilet in de benedengang. Bij de wasbak.'

'Dank u wel. Wat fijn dat u hem gevonden hebt.'

'Voortaan beter op uw mooie spullen passen, hoor.'

'Ja, natuurlijk.'

Marjolein vindt dat hij zijn act heel knap heeft opgevoerd. Toch is ze niet tevreden. Hij had de dames erop moeten wijzen dat ze niet direct over diefstal moeten praten. Dat zaait wantrouwen. Er is nog iets wat haar niet bevalt. Daan was gisteren de hele dag weg. Hoe komt hij dan nu ineens aan die ring?

De kinderen vragen haar aandacht. Peter heeft veel te veel hagelslag op zijn boterham gedaan en nu wil Tessa net zoveel op haar brood. Er wordt diplomatie vereist.

'Het mag wel. Maar dan komt op de volgende boterham alleen boter.'

Peter schuift gauw de overvloed aan hagelslag van zijn brood af. Tessa neemt een normale hoeveelheid. Marjolein glimlacht. Het zijn heerlijke kinderen. Grote problemen geven ze nooit. Peter moet zijn grenzen leren kennen en Tessa is nog te gauw bang. Gisteravond was ze behoorlijk van streek na Peters avontuur in de vijver. En vannacht had zíj een nare droom, terwijl Peter rustig doorsliep. Wat kunnen mensen toch verschillend zijn.

'Waar gaan jullie straks spelen?' vraagt ze.

'Wij gaan voetballen,' zegt Peter, 'op het speelveld.'

'En jij?'

Tessa weet het nog niet.

'Ik wil een poosje met oma Sophie praten,' zegt Marjolein, 'dus ik denk dat we op de bank bij het speelveld gaan zitten.'

'Waar gaan jullie over praten?' vraagt Tessa.

'Nieuwsgierig aagje. Als je het wilt weten, kom je er maar bij zitten.'

Tessa kiest voor het klimhuis. Sophie en Marjolein kijken toe hoe zij en Janneke zich vermaken. Intussen maken ze plannen. Marjolein en de kinderen zullen een paar dagen in Rotterdam komen logeren. Sophie verheugt zich erop.

'We kunnen een dag naar de dierentuin,' stelt ze voor.

'Dat vinden ze prachtig.'

'En naar het strand?'

'O, geweldig. Ze willen vast niet meer naar huis.'

'Dan blijven ze toch.'

Marjolein lacht.

'Zet je maar schrap. Ik ben ook graag aan zee.'

'Ik ook,' zegt Sophie. 'Wat dat betreft heb ik nog veel in te halen.'

'Kwamen jullie nooit aan zee?'

'Zelden.'

'Terwijl je er zo dichtbij woont.'

'Wilbert had er nooit tijd voor en ook geen interesse. En alleen naar het strand, nou ja, dat doe je minder gauw.'

Het lijkt opeens lang geleden. Wat is Wilbert op dit moment ver weg, denkt Sophie.

Ze spreken ook een week af waarin Sophie bij hen in Arnhem zal komen logeren. Dan kunnen ze serieus op huizenjacht.

'Ik kan oppas regelen voor Tessa en Peter,' zegt Marjolein, 'maar het is ook leuk om iets met hen te ondernemen. Het Openluchtmuseum bijvoorbeeld.'

'We krijgen het nog druk,' lacht Sophie.

's Middags rijdt ze naar het dorp voor een paar boodschappen. Een aantal ansichtkaarten. En een mooi cadeau voor Agnes. In de winkels hebben de mensen tijd voor een praatje. Dat bevalt haar wel.

Als ze de boodschappen in de auto legt, ziet ze dat er een wimpel aan de molen wappert. Dat wil zeggen dat hij te bezoeken is. Ze sluit haar auto zorgvuldig af en wandelt het dorp uit. Via de grindweg komt ze bij de molen. De deur staat open. Binnen is een man allerlei dingen aan het uitleggen aan een groep kinderen. Sophie luistert mee. Wat een vernuft. Ze klimt twee steile houten trappen op. Door een laag deurtje komt ze op de omloop. Eindelijk!

Een wijd landschap strekt zich voor haar uit. Majestueuze wolken drijven in de helderblauwe lucht. Ze haalt diep adem. Wat een verschil, die enigszins bedompte ruimte onder in de molen en deze wijde ruimte met haar vergezicht. Zo is mijn leven ook, denkt ze. Ondanks de weelde waar we in leefden, zat ik opgesloten in een benauwde ruimte. En nu kan ik weer opademen, nu kan ik weer echt leven.

Langzaam loopt ze over de stelling. Ze herinnert zich een liedje van vroeger. *Wat is de wereld wijd!* De andere regels weet ze niet meer, maar deze ene is genoeg. Op al haar verre reizen met Wilbert heeft ze dit nooit ervaren, ook al kwamen ze door de mooiste gebieden. Wilberts auto vloog over de snelwegen. Als ze in de verte besneeuwde bergtoppen zag, bekroop haar vaak het verlangen om een halve dag op een alpenweitje te zitten en de omgeving op zich in te laten werken. Dat zou Wilbert beslist tijdverspilling hebben gevonden.

Ze neemt het landschap dat beneden haar ligt in zich op. Wegen met auto's, groepjes huizen, boerderijen, een hooiland waar mensen aan het werk zijn. En veel bossen. De zon maakt er een feest van. Dit is de werkelijkheid, denkt ze. Geen sprookjesland, het is allemaal echt.

Opeens krijgt ze een idee. Ze gaat de trap af en loopt terug naar haar auto. Het is maar een klein stukje rijden naar het hotel. De kinderen zitten fris te drinken met een koek erbij. Ze gaat naar Anouk en praat even met haar. Die haalt haar schouders op.

'We zullen het haar vragen. Janneke, kom eens hier.'

Janneke komt bij hen, de koek in haar hand.

'Wil je met Tessa's oma mee, de molen bekijken?'

'Gaat Tessa ook mee?'

'Nee, jij alleen.'

136

Janneke knikt, verbaasd en blij.

Ze rijden terug. Sophie parkeert bij de molen. Als ze naar binnen gaan, pakt Janneke haar hand. Ze bekijken het onderste deel van de molen met zijn imposante balken, ze snuiven de duffe geur van het hout op.

'Zullen we naar boven gaan?' vraagt Sophie.

Voorzichtig gaan ze de steile trappen op en door het deurtje naar buiten.

'Ooo,' zegt Janneke.

Voor dit gouden ogenblik heeft Sophie het gedaan. Ze zegt niks en laat Janneke kijken. Ze weet dat het kind een vreselijke tijd heeft gehad voor ze bij Huib en Dorien kwam wonen. Nu is er de veiligheid van het pleeggezin. Sophie gunt haar de ervaring van dit moment zo van harte. Voor haarzelf betekent dit uitzicht toekomstperspectief. Ze hoopt dat Janneke hetzelfde gevoel meekrijgt. Woorden zijn niet nodig, die zouden alleen maar te veel zijn. Laat Janneke dit beeld maar vasthouden, denkt ze. En wanneer ze het meteen weer vergeet, dan heeft ze in ieder geval een leuk uitje gehad.

Langzaam lopen ze over de omloop. De wieken draaien vandaag niet, dus ze kunnen helemaal rondom de molen lopen. Janneke wil weten waar het grote wiel voor is. Sophie legt uit dat de molenaar daarmee de wieken op de wind kan kruien. Dan wordt Janneke ongedurig.

'Zullen we in het dorp een ijsje eten?' vraagt Sophie. 'Of wil je meteen terug naar Anouk?'

'Een ijsje.'

Een halfuur later zijn ze terug bij het hotel. Janneke holt meteen naar de andere kinderen toe. Sophie lacht. Het kind moet zo veel inhalen.

Later in de middag komt Tessa naar haar toe.

'Oma, kijk eens wat we gemaakt hebben.'

Ze laat een groot vel papier zien waarop gekleurde bloemen zijn geplakt. Met stiften zijn de stelen en bladeren erbij getekend. Sophie bewondert het kunstwerk.

'Je bent met Janneke naar de molen geweest, hè?' zegt Tessa.

'Ja.'

'Waarom mocht ik niet mee?'

'Een andere keer ga ik met jou naar de molen,' belooft Sophie.

'Morgen?'

'Ik denk niet dat hij dan open is. En morgen ga ik met meneer Harper ergens naartoe. Zal ik je verklappen wat we gaan doen?'

Tessa knikt.

'Verleden week zag ik ergens een schilderij. Misschien ga ik dat kopen.'

'Wat staat erop?'

'Een bloementuin. Als ik terugkom in het hotel zal ik het aan je laten zien, dan mag je vertellen of je het mooi vindt.'

'Misschien wel net zo mooi als mijn bloemen.'

'Wie weet.'

'Waarom gaat meneer Harper mee?'

'Hij is eigenlijk een kunstenaar. Dus hij heeft veel verstand van schilderijen. Van schilderijen én van bloemen.'

'Nog meer dan jij?'

'Vast wel. O Tessa, ik moet een paar kaarten schrijven. Mag jouw naam er ook op?'

'Voor wie zijn die kaarten dan?'

Sophie is verrast. Zo klein als Tessa nog is, ze zet niet zomaar haar naam ergens onder.

'Eén is voor Agnes, die helpt mij het huis schoon te houden. Ze ligt in het ziekenhuis.'

Tessa knikt. Als je ziek bent moet je wel een kaart krijgen.

'En deze wil ik aan een vriendin van me sturen. Ze heet Boukje Tadema en ze woont in Rotterdam.'

'Ken ik die?'

'Het is de tante Boukje waar jouw vriendinnetje weleens gaat logeren.'

Tessa kijkt verbaasd.

'Tante Boukje en oom Rieuwert?'

'Precies.'

'Is tante Boukje echt jouw vriendin?'

'De allerbeste.'

Tessa vindt het grappig. Nu lijkt ze plotseling heel sterk op Marjolein, vindt Sophie.

'En deze kaarten zijn voor een paar mensen in het verpleeghuis.'

Sophie vertelt wat een verpleeghuis is. Tessa schrijft haar naam extra mooi onder die van Sophie.

'Hé, hier staat S. van Groenendael. Jij heet toch Koster?'

Wat valt er veel uit te leggen. Gelukkig is Tessa vlug van begrip.

'Net als mama,' zegt ze, 'die heette vroeger ook Van Groenendael.'

's Avonds, als de kinderen slapen, zitten Sophie en Dorien nog een poosje te praten.

'Anouk vertelde me dat u Janneke een uurtje geleend hebt.'

'Vind je het niet erg? Ik zag je niet zo gauw.'

'Nee, geen zorgen. Janneke vond het fijn. Maar ze vertelde er verder niks over.'

'We hebben samen de molen bekeken. Het deed mij ook goed.'

'Aha, wordt de relatie verder uitgebouwd?'

'Wat mij betreft wel. Zolang ik nog in Rotterdam woon, wil ik het rustig aan doen met haar. Als ik verhuisd ben, zien we wel hoe het verder gaat.'

Dorien lacht.

'Welkom in de familie. Hoe gaat het met uw verhuisplannen?'

'Ik ben nog maar net begonnen. Hoe meer makelaars, hoe lastiger het wordt.'

'U weet vast wel wat u wilt.'

'O ja. Iets in de buurt van Marjolein. De Achterhoek bijvoorbeeld. Een huis met in elk geval een paar logeerkamers. Een flinke tuin. En een heleboel natuur in de omgeving.'

'Klinkt goed. U bent een buitenmens, zo te horen.'

'Ja.' Sophie realiseert zich meer dan ooit hoe wáár dit is.

'Vertel eens iets over jullie gezin.'

'Wij wonen in Velp. Huib heeft een baan in Arnhem, in het bedrijfsleven. We hebben zo'n heerlijk vooroorlogs huis met veel kamers en een grote zolder. Een tuin hebben we ook. Maar die wordt vooral gebruikt om te klimmen en hutten te bouwen. De school is vlakbij. Janneke had in het begin veel problemen.

Maar het gaat steeds beter.'

'Je zult de handen wel vol hebben.'

'Ik verveel me nooit. Maar ik heb een goede hulp, drie morgens in de week.'

Ze wisselen hun adressen en telefoonnummers uit. Sophie heeft er een tevreden gevoel bij.

De volgende dag is het grijs weer. Sophie rijdt naar het dorp waar ze haar nieuwe schilderij wil kopen. Ze verheugt zich erop. Robin zit naast haar. Ze vindt dat hij vandaag erg zwijgzaam is. Maar misschien wil hij haar niet afleiden van het verkeer.

'Eigenlijk wil ik vlak bij het boerderijtje parkeren,' zegt ze, 'anders moet ik zo'n eind met dat schilderij sjouwen.'

'Ik dacht dat je mij daarvoor had meegenomen,' zegt Robin.

'Je weet wel beter. Er zit een kunstenaar naast me, geen pakezel. Maar help me even de weg te vinden.'

Na wat zoeken vinden ze de zandweg. Het boerderijtje ligt verscholen in het landschap, alsof het ermee vergroeid is. Sophie parkeert in de berm. Ze stappen uit en lopen het kleine paadje op. Er staat nu een bord met TE KOOP.

Sophie kijkt naar de tuin. Zelfs zonder de zon zijn de kleuren warm. De vrouw die ze verleden week in de tuin zag, doet de deur open.

'Komt u binnen.'

De deel is ingericht als werkruimte. In de lage wanden zijn ramen gemaakt, van de grond tot aan het dak. Robin kijkt ernaar met opgetrokken wenkbrauwen.

'Tegenwoordig zou dat niet meer mogen,' mompelt hij, 'maar het is hier wel een stuk lichter op deze manier.'

Sophie ziet een ezel en tafels vol tubes verf, potten en penselen. En een rek vol schilderijen die te koop zijn.

'Neemt u er gerust alle tijd voor.'

De vrouw verdwijnt naar de keuken, maar laat de deur openstaan.

Sophie neemt die tijd graag. Er is zo veel te zien. Een paar stillevens, met vooral oude gebruiksvoorwerpen van de boerderij. Gedeelten van de tuin, waarin de kleuren samengaan in prachtige harmonie. En dan ziet ze de pioenen. Nu ze klaar zijn vindt Sophie ze nog mooier dan verleden week. Allerlei tinten rood vloeien door elkaar. Ze zou er uren naar kunnen kijken. Op een ezel staat een grote aquarel met bijna de hele tuin erop. Het is een feest van licht en kleur. Ook daar staat Sophie heel lang. Van zoiets paradijselijks wordt ze helemaal gelukkig.

Robin houdt afstand. Hij bekijkt alles, maar geeft geen commentaar. Daar is ze blij mee. Als ze alles gezien heeft, komt hij naast haar staan.

'En?'

'Ik vind ze erg mooi,' zegt Sophie. 'Twee aquarellen springen er voor mij helemaal uit.'

Ze wijst ze aan.

'De pioenen. En de grote op de ezel.'

'Die zijn inderdaad erg goed,' zegt Robin, 'ze heeft een perfect gevoel voor kleur.'

Hij buigt zich naar voren om op de prijssticker te kijken.

'Nounou, daar kun je best op afdingen,' bromt hij.

Sophie heeft nog niet eens aan prijzen gedacht. Ze kijkt hem vermanend aan.

'Op het paradijs ding je niet af.'

'Je hebt gelijk, mijn muze.'

De vrouw verschijnt weer.

'Wilt u een kop thee?'

'Graag.'

In de keuken zitten ze aan de ronde boerentafel.

'Ik zag dat dit huis te koop is,' zegt Robin.

'Inderdaad.'

'Is het uw eigendom?'

'Nee, het was van een vrouw van bijna negentig. Dit voorjaar is ze overleden. Haar kinderen hadden geen belangstelling voor het huis. Ik mocht hier tijdelijk komen wonen, zodat ik rustig kon schilderen. De kinderen vonden het prettig dat het huis niet te lang leegstond.'

'Mag ik even rondkijken?' vraagt Robin.

141

'Natuurlijk. Eigenlijk doet de makelaar de rondleidingen. Maar hij zal er geen bezwaar tegen hebben dat ik de boel laat zien.'

Robin staat op.

'Ga je mee, Sophie?'

'Eh… ja, natuurlijk,' zegt ze, verbaasd over deze plotselinge wending.

Ze gaan rond. Robin kijkt met aandacht naar het dak, naar balken, muren en ramen. Sophie ziet dat het hem ernst is. Het betekent dat hij in Nederland wil gaan wonen en dat hij Engeland dus definitief de rug toekeert. Het maakt haar gelukkig. Dit huis past ook goed bij hem, denkt ze. Hier kan hij rustig rondlopen in zijn werkkleding, hier kan hij zichzelf zijn.

Ze krijgen nog meer thee. Sophie loopt opnieuw over de deel. Haar besluit staat vast. Ze wil de pioenen én ze wil de grote aquarel van de tuin. De schilderes pakt ze zorgvuldig in. Sophie schrijft intussen een cheque uit.

Robin trekt vragend zijn wenkbrauwen op. Maar zijn ogen schitteren ondeugend.

'Ziezo, nu hoef je alleen nog maar een huis eromheen te kopen,' zegt hij als ze wegrijden.

'En jij? Lijkt die boerderij geschikt?'

'Mijn eerste indruk is goed. Wil je even langs de makelaar rijden, dan haal ik daar alle informatie.'

Sophie doet het graag. Ze gaat mee naar binnen in het kantoor. Terwijl Robin in gesprek is met de makelaar kijkt ze nog eens naar alle te koop staande huizen.

'Ziezo, ik heb recht van eerste koop,' zegt Robin wanneer ze weer buiten staan.

'Gefeliciteerd! Jij bent vlugger dan ik. Van het ene moment op het andere ga je overstag.'

'Hoho, nou vergeet je iets. Je hebt me verleden week de info van een paar huizen laten zien. Daar was deze boerderij ook bij. Toen leek het me meteen al iets.'

'Ach natuurlijk, nu weet ik het weer. Ik vond die boerentuin zo geweldig, vandaar. Moet je nagaan, jij vindt een huis en ik ben gecharmeerd van de tuin.'

'Dan mag ik hopen dat je die tuin nog dikwijls met een bezoek zult vereren.'

'Daar heb ik geen bezwaar tegen.'

Sophie kijkt rond op de Brink.

'Zullen we een kop koffie drinken op de goede afloop? Daarginds is het hotel waar ik als kind vaak logeerde met mijn ouders.'

Robin vindt het prima. Ze gaan binnen zitten vanwege het druilerige weer. Sophie vertelt iets over haar kindertijd.

'En waar ben jij opgegroeid?'

'Bij de rivier. Ik kwam er graag. Toen ik als klein jochie een schetsboek kreeg, heb ik wekenlang boten getekend.'

Robin zwijgt en staart naar buiten. Over de rest wil hij niet praten. Hoe hij heen en weer getrokken werd door zijn ouders. Je kunt het. Je kunt het niet. Dat is voorbij, daar wil hij niet meer aan denken.

Sophie ziet zijn gesloten gezicht. Ze begint over iets anders.

'Gisteren heb ik de molen bekeken, hij was open voor publiek.'

'Interessant?'

'Ja. Wat een wonder van techniek. Ik ben ook op de stelling geweest. Daar heb je een uitzicht, geweldig! Het symboliseerde mijn leven. Opeens in die ruimte, heel verrassend.'

Nu kijkt hij haar aandachtig aan.

'Ervaar je het zo?'

'Ja. Ik ga nu mijn eigen leven leiden. De dingen doen die bij me passen. Een ander huis, een flinke tuin. Regelmatig Marjolein en de kinderen zien. Ik voel me rijk.'

'Pas ik ook in het plaatje?'

'Maar natuurlijk, Robin. Je bent zo'n bijzondere vriend.'

Daar wordt hij verlegen van. Sophie ziet het. Ze glimlacht en vertelt over Janneke. Hoe ze het kind heeft opgehaald en haar van hetzelfde uitzicht heeft laten genieten.

'Janneke heeft ook toekomstperspectief nodig.'

'Ik moest ook maar eens met jou naar die molen,' zegt Robin, 'het verleden werkt af en toe nog erg remmend.'

Dat heeft Sophie gemerkt.

'Ik zie ernaar uit om samen naar de molen te gaan,' zegt ze. 'We krijgen nog veel te doen. Goed dat we straks bij elkaar in de buurt wonen.'

Een poosje zwijgen ze. Over een paar dagen komt er voor Sophie een eind aan haar verblijf in De Wilde Roos.

'Zal ik je mijn adres en telefoonnummer geven?' vraagt ze.

'Dat lijkt me handig.'

'En waar kan ik jou bereiken?'

'Op de havezate is het beste. Heer Diederik zal geen bezwaar hebben. Hoelang ik in De Wilde Roos blijf weet ik niet. Eerlijk gezegd wil ik zo gauw mogelijk een eigen plek hier in de buurt hebben.'

'Ik hoop voor je dat het gaat lukken.'

Sophie weet één ding zeker, ze komt gauw weer terug in De Wilde Roos. Zelden heeft ze zich ergens zo thuis gevoeld.

Ze maakt een afscheidswandeling door het bos en over de heide. Ze zit bij de kinderen als die op het speelveld ravotten. Ze leest Janneke voor op een moment dat die wat verloren rondloopt. En ze praat met Marjolein over hun logeerpartij.

'Neem wat speelgoed mee,' zegt ze, 'ik heb niks in huis.'

'Doe ik,' belooft Marjolein.

'Wat eten de kinderen graag?'

'Pannenkoeken zijn favoriet. Verder lusten ze bijna alles.'

'En wat vind jij lekker?'

'Vis. En verder ook alles.'

Sophie lacht. Marjolein doet niet moeilijk.

's Middags, als de kinderen bij Anouk zijn, wandelt Sophie nog één keer door de tuin. Steeds blijft ze staan om alle mooie plekjes goed in zich op te nemen. Zoals het nu is zal het nooit meer zijn. Ieder jaar is een tuin weer anders. Maar zo overweldigend als nu? Of komt dat doordat ze met nieuwe ogen is gaan kijken?

Ze gaat op zoek naar Lars en vindt hem in de rozentuin, waar hij staat te praten tegen een zachtgele theeroos.

'Lars, voor ik naar huis ga wil ik je even bedanken.'

Hij kijkt verbaasd.

'Waarvoor, mevrouw?'

'Dat je zo geweldig voor de tuin zorgt. Ik heb er erg van genoten.'

'Dank u wel. Jammer dat u weg moet.'

'Ik hoop nog vaak terug te komen.'

'O, gelukkig.'

Sophie loopt terug en lacht zachtjes in zichzelf. Die jongen laat zijn sympathie duidelijk blijken zonder zich af te vragen of je zo wel tegen gasten praat. Wat een puur mens.

In de hal zit mevrouw De Wilde met een zorgelijk gezicht achter de balie. Ze kijkt vragend naar Sophie op. Maar die heeft geen verzoek, ze wil alleen iets zeggen.

'Ik heb hier fijne dagen gehad, mevrouw De Wilde. Daar wil ik u voor bedanken.'

Renates gezicht klaart op.

'Dat doet me genoegen. Was u tevreden over de kamer?'

'Een fijne plek.'

'En de bediening?'

'Uitstekend. Het personeel is correct maar ook hartelijk. Ik heb me hier helemaal thuis gevoeld.'

'Het is fijn dat u hier uw kleinkinderen hebt ontmoet. Voor Marjolein is het ook goed. Zo veel familie heeft ze niet.'

Er komt een gast die iets weten wil. Sophie gaat naar het terras. Coby zit in haar eentje achter een kop koffie.

'Mag ik bij je komen zitten?'

'Ja, gezellig. Zal ik koffie voor u halen?'

'Dat hoeft niet, ze komen zo meteen wel langs. Hoe heb je het gehad deze week?'

Coby vertelt uitvoerig over alles wat ze heeft beleefd. Sophie luistert met een half oor. Ze is blij als Peter het terras op komt stormen om haar te laten zien wat hij bij Anouk geknutseld heeft.

'Mag ik vanavond bij jou en jouw opa aan tafel eten?'

'Ik vind het prima. Vraag het zelf maar aan meneer Harper.'

Zo zitten ze met z'n drieën aan het diner. Peter praat honderduit. Robin schijnt het leuk te vinden.

'Wanneer mag ik jouw huis komen bekijken?' vraagt Peter.

'Dat duurt nog wel een poosje.'

'In deze vakantie?'

'Ik beloof niks. Je hoort wel van oma Sophie wanneer het kan.'

'Gaat oma Sophie dan ook mee?'

'Als ze wil.'

'Natuurlijk wil ik dat,' zegt Sophie.

Ze denkt aan het boerderijtje waar ze die middag waren.

Om Peter af te leiden begint ze over iets anders.

'Als je weer thuis bent ga je zeker weer veel voetballen.'

Hij knikt en vertelt over het trapveldje achter hun huis waar alle jongens uit de buurt hun lievelingssport beoefenen. Sophie en Robin kijken elkaar aan. Wat een verrukkelijk joch.

Na het eten komen Tessa en Janneke naar Sophie toe.

'Oma, doe je een spelletje memory met ons?'

'Goed.'

Robin maakt zich haastig uit de voeten.

De volgende morgen zit Sophie alleen aan het ontbijt. Bij haar bord ligt een envelop. *Mevrouw S. Koster*, staat erop. En in een klein hoekje *RH* als afzender. Sophie wil hem nu niet openmaken. Eerst ontbijt ze op haar gemak. Sinaasappelsap, een boterham extra, een tweede kop koffie. Zo is ze klaar voor de reis. Boven, op haar kamer, maakt ze de envelop open. Er zit een briefje in.

Mijn muze,

Ik hou niet van afscheid nemen. Als je dit leest zit ik waarschijnlijk al op de boot naar Engeland. Ik wil zo gauw mogelijk mijn huis in Kent verkopen. En dan ga ik serieus achter dat boerderijtje aan. Want we kunnen Peter niet zo lang laten wachten. Dit waren kostbare weken voor me. Bedankt voor je inspiratie. En voor al het overige.

Robin.

146

Uit de envelop komen ook twee getekende portretjes. Een van Tessa en een van Peter.

De tranen schieten Sophie in de ogen. Wat heeft hij de kinderen raak geschetst. Peter met zijn parmantige kuif en die ondernemende blik in zijn ogen. Tessa's zachte trekken, haar dromerige ogen. Een mooier cadeau had hij haar niet kunnen geven.

Ze kijkt lang naar de beide tekeningen voor ze die in haar koffer bergt. Nog een keer leest ze de brief. Ja, denkt ze, voor mij waren dit ook kostbare weken. En dat komt ook door jou, Robin.

Marjolein en de kinderen zwaaien haar uit.

'Dag oma. Over tien dagen komen we bij jou logeren!'

10

Sophie rijdt langzamer dan ze gewend is. Ze heeft volstrekt geen haast en blijft op gepaste afstand achter een vrachtauto hangen. Haar gedachten gaan naar de mensen die ze achterliet in De Wilde Roos. Ze mist hen nu al. Marjolein, pragmatisch maar warm. De kinderen, die haar zonder moeite accepteerden en haar een plaats gaven in hun leven. Ze hadden duidelijk zin in de logeerpartij. Terwijl ze elkaar nauwelijks twee weken kennen.

Er nadert een afslag. De vrachtauto gaat van de snelweg af. Sophie heeft ogen voor en achter. Een dikke BMW passeert haar met grote snelheid. Achter het stuur zit een man die haar aan Wilbert doet denken. Plankgas en regelrecht op het doel af zonder te veel opzij te kijken. Wilbert heeft zijn kleinkinderen nooit ontmoet. Hoe zou hij het gevonden hebben, twee van die kleine mensjes? Zouden ze door die harde schil zijn gebroken en warme gevoelens wakker gemaakt hebben? Of zouden ze teleurgesteld worden door zijn afwijzing, zijn gebrek aan belangstelling? Sophie zucht. Over die vragen hoeft ze niet na te denken. De periode Wilbert is voorbij. Ze heeft thuis niet eens een foto van hem staan.

Opeens denkt ze aan de twee prachtige portretjes in haar koffer. Wat een talent! Zo te kunnen tekenen. Ze heeft niet eens de kans gekregen Robin te bedanken. Ze lacht. Echt iets voor hem, er stiekem tussenuit te knijpen. Hij had er de vorige avond best iets over kunnen zeggen. Maar hij houdt niet van afscheid nemen. Nodig was dat ook niet. In de komende tijd zullen ze elkaar weer ontmoeten, dat is zeker. Voor hen beiden is het een bijzondere vriendschap geworden. Zijzelf vond in Robin iemand die aandacht en begrip voor haar had, die niet voor haar besliste. Iemand die haar gevoelens respecteerde. Ze is erdoor opgebloeid. En Robin? Ze heeft hem geïnspireerd, schreef hij. En zij heeft hem niet veroordeeld vanwege het leven dat hij vroeger leidde. Waarom zou ze? Hij zat met een minderwaardigheidsgevoel dat hem dreigde te frustreren in zijn werk. Ze heeft hem gewezen op zijn talenten, zijn kennis en ervaring, zodat hij zijn angst voor mislukkingen kon overwinnen. En nu zit hij volop in het project.

Het is een nieuwe start voor hem. Straks heeft hij zijn eigen stek. Ze denkt aan het oude boerderijtje waar hij zijn oog op heeft laten vallen. Het is niet mooi, wel karakteristiek. Net als Robin zelf. Wat zag hij eruit toen hij voor het eerst het hotel binnenkwam. En wat bleek er een prachtig mens verscholen te zijn onder dat verlopen uiterlijk. Sophie lacht om zichzelf. Je vergelijkt een mens toch niet met een huis!

Wel frappant dat zowel Robin als zij bezig zijn een ander huis te zoeken, een nieuwe plek om te wonen, en daarmee het oude leven achter zich te laten.

Sophie realiseert zich dat ze, ondanks alles waarin ze elkaar herkend hebben, toch ook vreemden voor elkaar gebleven zijn. Zo veel bleef onuitgesproken, zo veel uit hun beider verleden bleef toegedekt. Dat is maar beter ook, denkt ze. Het is voldoende te weten dat je allebei beschadigd bent. Dat hoeft niet opgerakeld te worden. Beter kun je samen de troost zoeken van een waardevolle vriendschap, van een mooie tuin, van bloemen, kleuren, geuren. Ze denkt aan de aquarellen achter in haar auto en zucht van genoegen.

Na anderhalf uur rijden is ze thuis. Het lijkt of ze maanden is weggeweest. Ze zet haar auto op de oprit en stapt uit. Hier is geen Lars die de boel naar binnen draagt. Ze pakt haar koffers en brengt ze naar de hal. Dan haalt ze de schilderijen uit de auto.

Het is heel stil in huis. Ze zou willen roepen. Maar er zou geen antwoord komen. Ze gluurt om de hoek van de eetkamer en kijkt even in Wilberts werkkamer. In de woonkamer, die door Wilbert altijd de salon werd genoemd, ligt een stapel kranten op de lage tafel met een enorme berg post ernaast. Heel het huis voelt kil en leeg aan. Nu gaat ze eerst koffiezetten.

Op de keukentafel staat een boeket bloemen in een vaas. Er ligt een briefje onder.

Welkom thuis, Sophie. Fijn dat je zulke mooie dagen hebt gehad. Ik hoop veel verhalen te horen over je schoondochter en kleinkinderen.
Vandaag hebben we bezoek van vrienden uit Zwitserland. Maar ik reken erop dat je morgenavond bij ons komt eten. Voor van-

daag heb ik in overleg met Agnes je koelkast gevuld, zodat je niet
van de honger zult omkomen.

Liefs van Boukje.

Sophie glimlacht. Die Boukje. Toch iemand die haar welkom
heet.

Er is maar één plek in het hele huis waar ze zich op haar gemak
voelt. Dat is haar eigen kamer boven, waar haar vertrouwde spullen staan. Daar zet ze de aquarellen tegen de muur, zodat ze er zo
vaak ze wil naar kan kijken. De portretjes van Tessa en Peter krijgen er ook een plaats. Even denkt ze voetstappen te horen op de
bovengang. Ze luistert, plotseling gespannen. Maar het is stil, ze
heeft het zich verbeeld. Als Wilbert nu binnen zou komen, wat
zou er gebeuren? Hij zou haar meewarig aankijken vanwege de
aquarellen. En misschien zou hij wel boos zijn als hij de portretjes zag. Geen contact, was immers zijn bevel.
   Plotseling wordt ze boos. Wat heeft hij haar veel ontnomen. De
kleinkinderen, Marjolein, Norbert. De woede maakt haar onrus-
tig. Ze loopt door het huis, kamer in, kamer uit, en probeert die
boosheid te bedwingen. Alles doet haar aan Wilbert denken. Het
is zíjn huis, waar zij ook mocht wonen. In zijn werkkamer blijft
ze staan. Aan de muur tegenover zijn bureau hangt een serie van
drie foto's. Eén van de torenflat waar hij op de tiende verdieping
zijn kantoor had. Eén van het interieur. En één van het uitzicht
over de stad. Ja, zo was je, Wilbert. Je keek neer op alles beneden jouw niveau. Op mensen die in jouw ogen minder bereikt
hadden. Als een koning zat je daar op je troon, met minachting
voor ieder ander. En alles wat jou niet aanstond, moest verdwijnen. Een dictator was je, tot in je eigen familie, je eigen huwelijk.
   Sophie wil die foto's nooit meer zien. Ze haalt ze van de muur
en legt ze omgekeerd op de grond. Liever nog zou ze de hele boel
stuk gooien. Maar zoiets doen de Van Groenendaels niet, die
beheersen zich in iedere situatie. Zal ze er bovenop gaan staan?
Nee, ook dat is te lomp. Opeens weet ze het. Ze raapt ze op en

sjouwt ze naar de afvalcontainer die in de garage staat. Deksel omhoog, de drie foto's erin, deksel met een reuzenklap dicht. Ziezo, weg. Wat een opluchting. En nog een beschaafde oplossing ook.

Het heeft haar gekalmeerd. Ze pakt haar laatste bagage uit, zet de wasmachine aan het werk en kijkt de post door. Het meeste kan meteen weg. Dan bladert ze door de kranten. Van het nieuws wordt geen mens vrolijk. Er wordt actie gevoerd tegen Shell. Had Wilbert daar geen aandelen in? De zure regen wordt een steeds groter probleem. En de ontploffing van de kerncentrale in Tsjernobyl blijkt veel ernstiger gevolgen te hebben dan de Russen eerst wilden toegeven. Over delen van Europa hebben zich al radioactieve deeltjes verspreid. Ook in Nederland wordt opgelet of het gevaar oplevert. Heeft deze ramp gevolgen voor de toekomst? Sophie denkt aan haar kleinkinderen en huivert even.

Gelukkig staan er ook aardige dingen in de krant. De magnetron verovert de Nederlandse huishoudens. Met aandacht leest ze het artikel. Koken is iets wat ze graag doet. Volgende week zal ze Boukje en Rieuwert uitnodigen. Ze heeft zin om dan iets bijzonders op tafel te zetten. Als ze er zijn kunnen ze meteen de nieuwe aquarellen bekijken. Want wat hier aan de muur hangt… Is het de keuze van Wilbert geweest of van de binnenhuisarchitect? Ze heeft zich aangewend om niet naar die schilderijen te kijken. Ze vindt ze onbegrijpelijk. Een enkele keer maakte Wilbert zijn gasten attent op zijn moderne kunst. Van hun opmerkingen werd ze ook niet wijzer. 'Heel bijzonder. Origineel. Gedurfd.'

Allemaal beleefde uitspraken. Dit hoeft ze niet meer mee te maken. Geen van deze schilderijen gaat mee naar haar nieuwe huis. Ze kijkt om zich heen. Hier, in deze kamer, is het net of ze bij zichzelf op visite zit. Dat duurt niet lang meer, belooft ze zichzelf.

Ze verzamelt de kranten en brengt ze naar de doos voor het oud papier. Dan gaat ze in de keuken een boterham eten. De koelkast is ruim voorzien. Ze glimlacht. Vanmiddag zal ze Agnes opzoeken. En morgen ziet ze Boukje en Rieuwert weer.

Boukje heeft de tafel gezellig gedekt. Ze controleert of alles aanwezig is en loopt terug naar de keuken. Sophie komt niet vaak bij hen eten. Meestal spreken ze af koffie bij elkaar te drinken. Dan voelen ze zich vrijer. Rieuwert is niet zo geïnteresseerd in al die vrouwenpraat, zoals hij het noemt. Hij vindt zichzelf een nuchtere Fries. Boukje weet wel beter. Hij houdt er niet van zijn gevoelens te tonen. Maar die zijn er wel degelijk.

Er wordt gebeld. Sophie komt binnen, een boeket in haar hand. Ze ziet er goed uit, vindt Boukje.

'Fijn je weer te zien, Sophie. Wat een mooie bloemen.'

'Je hebt ze verdiend.'

'Zo veel werk was het niet. Alleen de post en de planten.'

'Het betekende voor mij dat ik me daar geen zorgen over hoefde te maken. En voor Agnes hetzelfde verhaal.'

Rieuwert komt de hal in.

'Welkom, welkom. Heelhuids terug van die verre reis.'

Sophie lacht. Inderdaad, het lijkt wel of ze in een ander land heeft rondgelopen, de afgelopen twee weken.

'Je weet niet half,' zegt ze.

In de salon drinken ze een glas wijn. Mijn eerste glas na twee weken, denkt Sophie. Het was niet moeilijk de alcohol te laten staan.

'Ik ga de soep opdienen,' zegt Boukje. 'Zijn jullie zover?'

Het smaakt Sophie prima. Ze maakt Boukje een compliment.

'Zo goed als in dat hotel kan het natuurlijk nooit zijn,' zegt Boukje bescheiden.

'Het is zelfs beter,' bekent Sophie.

'Nounou,' lacht Rieuwert, 'niet zulke doorzichtige complimentjes.'

'Ik meen het. Alles was prima verzorgd, alleen de avondmaaltijd liet vaak te wensen over.'

'Hebben ze geen goede kok?'

'De eigenaar kookt zelf.'

Sophie denkt aan Daan en aan zijn moeilijke gedrag. Wie zou hem erop attent durven maken dat er nogal wat mankeert aan zijn kookkunst?

'Zo, en nu wil ik alles weten over je kleinkinderen,' zegt

Boukje als ze de soep ophebben. 'Neem de tijd, die ovenschotel is nog lang niet klaar.'

Sophie vertelt hoe verschillend de twee kinderen zijn. Tessa zo bedeesd, Peter ondernemend.

'Met de hele groep kinderen deden de ouders leuke dingen. Verkleden, optocht met lampjes, een speurtocht naar de gouden vogel van het geluk. Een knutseluurtje.'

'Dus ze hadden het best naar hun zin.'

'Iedere dag was het feest.'

'Hadden ze nog tijd voor hun oma?'

'We zijn er een uurtje tussenuit gebroken en naar een kinderboerderij geweest. Marjolein, de kinderen en ik. Daar waren we even onder elkaar. Marjolein is een fijn mens.'

'Dat had je niet verwacht, hè?' plaagt Rieuwert.

'Ze had best nog vol rancune kunnen zitten,' verdedigt Sophie zich, 'maar geen spoortje daarvan. Zij is ook blij dat we elkaar ontmoet hebben.'

'Lijken de kinderen op haar? Of op Norbert?'

'O, dat vergeet ik nog.'

Sophie haalt de twee portretjes uit haar tas. Rieuwert en Boukje bekijken ze aandachtig.

'Wat mooi. Heb je die van je schoondochter gekregen?'

'Nee, van Robin. Dat is de tuinarchitect over wie ik je vertelde. Hij tekende wel vaker een van de kinderen. Deze kreeg ik gisteren mee als afscheidscadeau.'

'Daar ben je vast erg blij mee.'

'En of. Hij wist van mijn ontdekkingstocht en heeft helemaal meegeleefd.' Sophie lacht. 'Een paar dagen geleden heeft hij Peter uit de vijver gevist. Ze dropen allebei van de modder.'

'Heb je het gezien?'

'Ja. Het was best gevaarlijk voor Peter. Hij is nog maar zo'n klein manneke.'

'Hoe kwam hij in die vijver terecht?'

'Hij mocht daar niet komen en dat wist hij. Maar ja, hij is nogal initiatiefrijk.'

De ovenschotel komt op tafel. Hij ruikt heerlijk, maar is nog veel te warm om ervan te proeven.

'Dat wil ik jullie ook nog vertellen,' zegt Sophie. 'Ik ga verhuizen richting Arnhem. Dan ben ik dichter bij mijn familie.'

Rieuwert kijkt haar geschrokken aan.

'Maar Sophie, loop je nu niet erg hard van stapel? Arnhem is hier om de hoek, bij wijze van spreken. En je woont in zo'n mooi huis!'

Boukje valt haar vriendin bij. Ze weet dat Sophie nooit gelukkig is geweest in het huis waar ze de laatste vijftien jaar met Wilbert heeft gewoond.

'Je wilt vast kleiner gaan wonen,' zegt ze.

Sophie knikt.

'Maar zo ver weg,' protesteert Rieuwert.

'Zonet was het nog om de hoek,' lacht Sophie. 'Trouwens, jullie zijn de enigen die ik werkelijk zal missen. Dus bereid je er maar op voor dat jullie regelmatig naar het oosten van het land moeten rijden. De weg naar Arnhem ken je al.'

Ze moeten duidelijk even wennen aan het idee. Ik overval hen wel, denkt Sophie. Ze gaat op iets anders over.

'Hoe gaat het met Hilde en haar gezin?'

'Goed,' zegt Boukje. 'Ze hadden prachtig weer op Ameland. Daar op de schouw staat de ansichtkaart die we van de week kregen.'

Sophie knikt.

'Die mooie vuurtoren. Die kreeg Tessa ook.'

'Wie?' vraagt Rieuwert.

'Je bent een beetje verstrooid,' plaagt Boukje, 'je hebt ook zo veel te verwerken. De kleindochter van Sophie is de schoolvriendin van onze Maaike.'

'O ja, natuurlijk. Dat was ik vergeten.'

'Maar het is wel belangrijk, hoor,' vermaant Boukje hem.

Het wordt tijd om afscheid te nemen. Sophie bedankt Boukje en Rieuwert en nodigt hen uit voor de volgende week.

'Kom gezellig eten. Dan kunnen jullie meteen de schilderijen zien die ik verleden week gekocht heb.'

Rieuwert kijkt verbaasd.

'Schilderijen?'

'Ja. Twee aquarellen. Voor in het nieuwe huis.'

'Jullie hebben toch een halve kunstgalerie hangen?'

Sophie stoort zich aan dat 'jullie'.

'Dat was niet míjn keuze. Sommige vind ik net een boze droom.'

'Wat doe je daar dan mee?'

Ze denkt aan de foto's die ze in de container heeft gegooid. Daar zijn die schilderijen te groot voor. Ze schiet in een nerveuze lach.

'Ik denk dat ik ze gewoon laat hangen.'

Rieuwert kijkt haar bezorgd aan.

'We komen je aquarellen graag bekijken, Sophie,' zegt Boukje hartelijk.

Als Sophie is weggereden, kijkt Rieuwert zijn vrouw aan.

'Ik weet niet wat ik ervan moet denken. Sophie is niet helemaal zichzelf.'

Zijn vrouw lacht hem uit.

'Ze begint eindelijk een beetje zichzelf te worden.'

In stilte vraagt Boukje zich af wat de rol van die tuinarchitect hierin is geweest. Maar dat vertelt Sophie haar nog weleens. Als ze met z'n tweeën zijn, vrouwen onder elkaar.

Die nacht droomt Sophie dat Wilbert haar door het huis achternazit. Er is geen enkele plek waar ze veilig is. Ten slotte heeft hij haar in de hal in een hoek gedreven. Ze probeert de voordeur open te trekken. Maar die zit op slot. Steeds dichterbij komen zijn ogen, koud en dreigend. Met een schreeuw wordt ze wakker, drijfnat bezweet. Haar hart gaat enorm tekeer. Het duurt lang voor ze enigszins tot rust is gekomen. Wat een malligheid. Wilbert is al een halfjaar dood. Maar de angst voor hem is nog aanwezig en ligt op de loer in hoeken en gaten. Ze neemt een warme douche en gaat theezetten. Buiten zingt een vogel zijn ochtendlied. Morgen zal ze contact opnemen met een makelaar. Hoe eerder ze kan verhuizen, hoe liever. In dit huis zal ze haar herinneringen en haar angsten niet kwijtraken. Daarvoor heeft ze een nieuwe omgeving nodig, een plek waar ze zich thuis voelt. Ze kleedt zich aan en gaat naar de werkkamer van Wilbert, waar ze de laden van zijn bureau leeghaalt. De paperassen komen op drie stapels. Eén voor de zakenpartner, één waar Rieuwert naar moet kijken. De rest kan weg. Ziezo, ze is de tegenaanval begonnen. Het lucht haar enorm op.

's Middags rijdt ze naar Kijkduin en wandelt een stuk langs het strand. Ze trekt haar schoenen uit en laat de uitlopers van de branding over haar voeten spoelen. Ergens ver achter de wazige horizon is Robin bezig zijn huis te verkopen. Ook hij neemt afstand van zijn verleden. Ze zal hem een kaart sturen, anders denkt hij vast dat ze hem vergeten is.

In de kiosk koopt ze een traditioneel zeegezicht. Op een bankje boven op een duin schrijft ze haar bericht.

In deze zee liet ik zojuist mijn voeten afspoelen door de speelse golfjes. Straks weer naar huis, waar de twee portretjes op een ereplaats staan. Wat zijn ze prachtig! Tot gauw, S.

In de week die volgt gaat Sophie door het hele huis. Alles wat haar aan Wilbert doet denken moet weg. In de slaapkamer zijn het de kleren. Ze sorteert ze en stopt ze in dozen. Het Leger des Heils zal er wel raad mee weten. In de badkamer vindt ze nog wat toiletspullen en twee scheerapparaten. Dat gaat allemaal in een andere doos. Gelukkig staat een van de beide garages leeg, Wilberts auto heeft ze al in januari verkocht. De dozen stapelen zich op. Wat een spullen! Dagenlang is ze aan het opruimen. Het bezorgt haar een goed gevoel. De dingen in haar leven worden zo ook geordend. Er komt ruimte voor iets nieuws.

De avond met Rieuwert en Boukje is erg gezellig. Sophie heeft met veel plezier staan koken. Een lichte maaltijd met een zomerse salade en vis. Een mooie bloemschikking siert de tafel. Rieuwert is bekomen van de schrik. Hij proost: 'Op je toekomst, Sophie.'

'Dank je, Rieuwert. Op de vriendschap.'

'Vrienden voor altijd,' voegt Boukje eraan toe.

'Ik heb iets voor je, Rieuwert,' zegt Sophie. 'Dit is van Wilbert geweest en nu wil ik het graag aan jou geven.'

Ze overhandigt hem een etui, waarin een vulpen en een vulpotlood, beide van goud. Rieuwert is aangedaan.

'Sophie, veel te gek. Wil je die niet zelf houden?'

Van z'n leven niet, denkt ze. Maar dat zou hij nooit begrijpen.

'Ik vind dat jij ze moet hebben, Rieuwert. Iets persoonlijks van Wilbert.'

'Nou, graag dan. Bedankt.'

Sophie knikt hem opgewekt toe. Ziezo, daar is ze met ere vanaf. Boukje bekijkt het met een neutraal gezicht. Sophie weet wat ze denkt.

'Ik heb een makelaar gebeld,' zegt Sophie. 'Morgen komt hij kijken.'

'Je zet er wel vaart achter,' vindt Rieuwert.

'O, het duurt nog wel een poosje. Als Marjolein en de kinderen volgende week komen, is het huis vast nog niet verkocht.'

'Leuk dat ze komen,' zegt Boukje. 'Zijn ze te bezichtigen?'

'Voor jullie wel. Tessa wil die Rotterdamse oom en tante natuurlijk ook weleens meemaken.'

Tegen tienen nemen ze afscheid. Sophie zwaait hen uit en rijdt meteen de afvalcontainer naar de straat. Hij zit behoorlijk vol.

Om halfacht de volgende ochtend gaat de bel. Sophie is gealarmeerd. Zo vroeg! Wat is er aan de hand? Ze opent de voordeur op een kiertje. De man op de stoep is in werkkleding. Hij heeft een alpinopetje op zijn grijze haar.

'Neem me niet kwalijk, mevrouw, maar wilt u die foto's echt wegdoen?'

Hij wijst naar de container die aan de weg staat.

'Ja, dat was wel de bedoeling.'

'Dan neem ik ze mee als u het goedvindt. Ik maak er nog wel een mooi prijsje voor.'

'Dat is goed,' zegt Sophie en opeens krijgt ze een idee.

'Handelt u in tweedehandsgoederen?'

'Geraden, mevrouw,' lacht hij.

'Weet u, ik ga verhuizen en heb binnenkort nog meer spullen die ik weg wil doen.'

'Ik kom langs zodra u belt. Hier is mijn kaartje.'

Onderzoekend gaan zijn ogen langs het huis.

'Veels te groot,' concludeert hij. 'U wilt natuurlijk een lief, klein huissie.'

'Zo is het,' zegt Sophie. 'Veel succes met de handel.'

Ze loopt naar binnen en bergt het morsige kaartje zorgvuldig op.

Marjolein is verbaasd als ze de auto stilzet voor het huis van Sophie. Heeft ze zich niet vergist? Woont haar schoonmoeder echt hier? Alles had ze verwacht, maar dit niet. Een huis als een hoofdkwartier, denkt ze. De belangrijkheid straalt eraf. Was Norberts vader zo iemand?

'Oma!' roept Peter als hij Sophie uit de voordeur ziet komen. Hij is allang blij dat hij uit de auto mag. Ze begroeten elkaar hartelijk.

'Dragen jullie je eigen koffer maar naar binnen,' zegt Marjolein.

Peter kijkt rond in de hal.

'Hier kun je best voetballen.'

Ach ja, waarom niet, denkt Sophie.

Marjolein is strenger.

'We voetballen nooit in huis.'

'Kom mee naar de keuken,' zegt Sophie, 'daar heb ik drinken klaarstaan.'

Op de tafel bij het raam staat de koffiekan. Kopjes en glazen ernaast. En een schaal met stroopwafels en andere heerlijkheden. Marjolein kijkt rond. De meest luxe apparatuur is ingebouwd.

'Dat zat er allemaal in toen we het huis kochten,' verontschuldigt Sophie zich.

'Best handig. Gebruikte je al die dingen?'

'Alleen als we veel gasten hadden.'

Sophie doet de koelkast open.

'Wat willen jullie drinken?'

Twee nieuwsgierige neuzen worden in de koelkast gestoken. De keus is niet eenvoudig.

'Je gaat hen vreselijk verwennen, geloof ik,' lacht Marjolein.

'Daar verheug ik me op. Schenk jij de koffie in?'

Ze zitten aan tafel. Sophie vindt het de gezelligste plek van de hele benedenverdieping. Alleen jammer dat ze er uitkijkt op de garage van de buren. In haar nieuwe huis wil ze…

158

'Oma, waar is jouw opa?' vraagt Peter.

Even is Sophie in verwarring. Alles in dit huis doet haar aan Wilbert denken.

'Hij bedoelt Robin,' zegt Marjolein.

'Meneer Harper is in Engeland,' antwoordt Sophie.

'Woont hij daar?'

'Nog wel, maar hij wil in Nederland gaan wonen.'

Sophie vertelt over het boerderijtje dat ze hebben bekeken.

'Ga jij daar ook wonen, oma?'

'Liever niet.' Sophie lacht. 'Meneer Harper is mijn opa niet. We zijn vrienden. Dan ga je niet in hetzelfde huis wonen.'

Peters gezicht betrekt.

'Ik mag in zijn huis komen, dat heeft hij beloofd.'

'Ik weet het,' zegt Sophie. 'Maar meneer Harper heeft ook gezegd dat het wel een poosje kan duren.'

Ze wisselt een snelle blik met Marjolein. Beiden weten ze dat Peter een ongeduldig ventje is. Alles moet direct gebeuren, wachten is verlies.

Tessa heeft nog niks gezegd. Ze zit naast Marjolein en kijkt afwachtend rond.

'Zal ik jullie het huis laten zien? Dan kun je kiezen waar je wilt slapen.'

'Kiezen nog wel,' mompelt Marjolein.

Sophie geeft een rondleiding. De werkkamer, de eetkamer, de salon. En boven de badkamers en slaapkamers. Marjolein is verbijsterd.

'Ik begrijp dat je wilt verhuizen, Sophie.'

'Voor dit kasteel begin ik me zo langzamerhand te generen.'

'Je zou jezelf erin kwijtraken.'

'Precies. Gelukkig heb ik dit plekje ook nog.'

Ze doet de deur van haar eigen kamer open.

'De jonkvrouw in de torenkamer,' lacht Marjolein. 'Waar is je spinnewiel?'

De kinderen zien heel iets anders.

'Mama, dit zijn wij!'

Ze staan vol verbazing voor de portretjes. Marjolein komt achter hen staan.

'Wat mooi, Sophie. Daar herken ik de hand van meneer Harper in.'

'Zijn die voor ons, mam?' vraagt Peter.

'Natuurlijk niet. Wij zien elkaar iedere dag. Op deze manier heeft oma Sophie ons ook een beetje bij zich.'

Tessa staat bij het schilderij van de tuin.

'Mooi?' vraagt Sophie.

Tessa knikt.

'Het is mijn droomtuin. Zo'n tuin wil ik als ik bij jullie in de buurt kom wonen.'

'Kun je daar ook spelen?'

Het is voor het eerst dat Tessa iets zegt sinds ze zijn gearriveerd. Sophie legt een arm om de schouders van het kind.

'In mijn nieuwe tuin komt in ieder geval een grasveld waar je lekker op kunt rennen. Wat zullen we er verder nog neerzetten?'

'Een speelhuisje.'

'Goed idee, daar ga ik zeker mijn best voor doen. En verder? Een schommel?'

Tessa's gezicht begint te stralen.

'Nu is het de droomtuin van ons samen,' zegt Sophie.

'Zullen we de koffers naar boven brengen?' vraagt Marjolein. 'Dan kunnen jullie je cadeautjes aan oma geven. Waar wil je ze in ontvangst nemen, Sophie?'

'Liefst hier. Tenminste, als ze niet lekken of afgeven.'

'Je weet maar nooit.'

Het valt erg mee. Peter heeft een auto geknutseld. Tessa geeft een ketting die ze zelf heeft geregen. Sophie doet hem meteen om.

'Prachtig. Jullie verwennen me.'

Van Marjolein krijgt ze een boek over het kweken van bloemen en groente in de kas.

'Daar heb je een keer iets over gezegd. Het lijkt me een vak apart.'

'Een kas is fijn. Je kunt zoveel meer dan wanneer je alleen maar een tuin hebt. Bedankt, Marjolein.'

Ze gebruiken de lunch in de keuken. Peter is zoals altijd weer veel te royaal met de hagelslag. Zijn moeder grijpt in.

160

'Er moet iets overblijven voor oma.'

'Doe jij weleens hagelslag op je brood?' vraagt Peter.

Slim ventje, denkt Sophie

'Wel als jullie weer in Arnhem zijn, want dan denk ik bij elke boterham met hagelslag aan jullie.'

'En als het op is?'

'Dan kom ik naar Arnhem, naar jullie toe. Wat zullen we vanmiddag eens gaan doen? Er is hier een speeltuin in de buurt, waar ook wat dieren zijn. Morgen kunnen we naar Blijdorp gaan.'

De speeltuin wordt een succes. Sophie is trots op Peter als ze ziet hoe hij zich handhaaft tegenover twee brutale leeftijdgenoten. Tessa vermijdt conflicten. Marjolein en Sophie houden de kinderen in de gaten en praten intussen over de dingen die hun leven kleur hebben gegeven.

Het bezoek aan de dierentuin, de volgende dag, is een ware uitputtingsslag. Peter wil beslist alles zien. Hij is niet weg te slaan bij de gorilla's op hun eiland. Tessa vindt de olifanten het leukst, vooral het jongste dier, dat heel ondeugend is.

Doodmoe komen ze thuis. Marjolein verzorgt drinken voor iedereen, terwijl Sophie beslag maakt voor de pannenkoeken.

'Heb je echt nog de energie om ze te bakken?' vraagt Marjolein. 'Zal ik anders helpen?'

Sophie lacht. Ze heeft vermoeide voeten, maar voelt zich verder als herboren. Deze dag heeft haar oneindig goedgedaan.

'Morgen kunnen we uitrusten op het strand. En na afloop weet ik een aardig restaurant, waar ze ook kindermenu's hebben.'

En waar Wilbert nooit heen wilde, denkt Sophie. Ze voelt zich heerlijk vrij. Eindelijk kan ze doen waar ze al jaren zin in had.

Na de dag aan zee slapen de kinderen als rozen. De twee volwassenen zitten in de kamer van Sophie.

'Wat een heerlijke dag,' zegt Marjolein.

Sophie knikt. Niet alleen het spelen op het strand en in zee, maar ook de thuiskomst vond ze fijn. Samen de kinderen in bad doen, hun voorlezen. Wat een voldoening, wat een vreugde. Ze kijkt naar Marjolein.

'Jij hebt duidelijk in de zon gezeten. Ik zie dat je er een heleboel sproeten bij hebt.'

'Die neem ik mee als herinnering.'

'Je gaat toch nog niet weg? Ik zou het fijn vinden als jullie wat langer bleven.'

'Wordt het je niet te veel?'

'Kom nou, ik geniet alleen maar.'

'Nou, graag dan. De kinderen hebben het ook erg naar hun zin.'

'Ik vind Tessa soms wel erg stilletjes.'

'Dat is haar aard. En ze vindt dit ook geen fijn huis. Dat mag ik toch wel zeggen?'

'Natuurlijk. Ik heb ook nooit van dit huis gehouden.'

'Heeft eh… Wilbert niet met je overlegd?'

Sophie schudt haar hoofd.

'Ik heb wel gezegd dat ik hier niet heen wilde. Maar wat ik ervan vond was niet belangrijk.'

'Zo te horen heb je het niet gemakkelijk gehad.'

'Niet bepaald, al waren er ook goede dingen. Maar er was weinig begrip.'

'Ik vermoed dat jullie erg verschillend waren.'

'Ja. En dat merk je pas gaandeweg.'

Sophie wil Wilbert niet al te zwart maken.

'Ik zag een paar moderne schilderijen in de salon hangen. Dat was zeker ook niet jouw keus?'

'Helemaal niet.'

'Weet je dat Tessa bang is voor dat schilderij boven de open haard?'

Sophie schrikt. Ze kan het zich goed voorstellen.

'Ik vind het ook afschuwelijk. Soms zie ik er een mens in, soms een monster met een paar grijpgrage klauwen.'

'Het gaat vast niet mee naar je nieuwe huis.'

'O nee, geen van die schilderijen.'

'Wat doe je er dan mee?'

'Dat weet ik nog niet. Het liefst laat ik ze gewoon hangen.'

'Veel te riskant,' lacht Marjolein, 'want reken maar dat ze je achterna gestuurd worden.'

'Ik moet er niet aan denken.'

'Kun je ze niet verkopen?'

Sophie aarzelt.

'Aan wie?'

'Vraag advies aan Robin, hij weet er misschien een oplossing voor.'

'Dat zal ik doen.'

'O, neem me niet kwalijk,' lacht Marjolein, 'ik heb nog geen permissie om hem bij zijn voornaam te noemen.'

'Die krijg je vanzelf.'

'Denk je dat ik daar nog lang op moet wachten?'

'Vast wel. Hij is erg verlegen.'

Ze giechelen als een stel tieners.

'Hoe waren de laatste paar dagen in De Wilde Roos?' vraagt Sophie.

'Fijn. Harro en Anouk hebben zaterdagavond poppenkast gespeeld. Dat doen ze vaker. Anouk maakt zelf de poppen.'

'Mochten de andere gasten ook komen?'

'O ja. Die nacht was er trouwens een geweldige consternatie. Een stuk of tien mensen werden ziek. Overgeven en zo.'

'Hadden ze iets verkeerds gegeten?'

'Waarschijnlijk wel. De volgende dag bleek dat alle zieken een garnalencocktail hadden gebruikt als voorgerecht. Wie soep had genomen mankeerde niets.'

'Wat een blamage voor meneer De Wilde.'

'Ja, het regende klachten. Renate vond dat hij op z'n minst excuses moest aanbieden. Maar dat wilde hij niet, hij zei dat de mensen waarschijnlijk kou hadden gevat toen ze op het terras naar de poppenkast zaten te kijken. Wel toevallig, alleen de garnaleneters hadden kougevat.'

'Vreselijk doorzichtig. Niet zo best voor de naam van het hotel.'

'Zoiets moeten ze er echt niet bij hebben. Ze kunnen net het hoofd boven water houden. Als er gasten wegblijven… En die arme Renate vertelde me dat zij later de volle laag kreeg.'

'Hoezo?'

'Daan was woedend dat zij niet meeging in zijn theorie over dat kouvatten. Hij begon tegen haar te schreeuwen. Als jij mij niet steunt, hoe kan ik dan mijn werk goed doen? En meer van dat soort verwijten. Nou, Renate wil hem best steunen, maar niet in de verkeerde dingen.'

'Daan lijkt me niet helemaal gezond.'

'Hij is erg onevenwichtig. Op de goede dagen is hij een plezierige en toegewijde echtgenoot. Maar zo af en toe raakt hij uit balans.'

'Moeilijk voor Renate.'

'Je weet niet half.'

's Avonds in bed ligt Sophie nog na te denken over hun gesprek. Renate is een flinke, sympathieke vrouw. Is zij degene die het hotel overeind houdt? Stel je voor dat het gesloten moet worden. Sophie moet er niet aan denken. Zo'n fijne plek, waar ze zich thuis voelde, waar ze haar familie heeft ontdekt en waar ze inspiratie opdeed voor een nieuwe start. Zodra ze terug was in Rotterdam heeft ze geboekt voor een week in september, want ze wil de tuin en omgeving van De Wilde Roos in najaarskleed kunnen beleven.

Marjolein en de kinderen blijven nog een paar dagen. Ze brengen met z'n vieren een bezoekje aan Boukje en Rieuwert. Tessa is tevreden nu ze Maaikes oom en tante heeft gezien.

Op de dag dat ze teruggaan zitten ze aan het ontbijt.

'Zo, en nu is oma aan de beurt,' zegt Marjolein. 'Wanneer kom je bij ons logeren, Sophie?'

'Zodra het je schikt.'

Tessa kijkt opgetogen.

'Gaan we dan naar het Openluchtmuseum?'

'Vast wel,' zegt Marjolein. 'Maar oma en ik gaan ook een dag naar de Achterhoek om huizen te bekijken.'

'Een lief, klein huissie,' lacht Sophie en ze vertelt over de handelaar die spullen uit haar container meenam.

'Goed zo,' zegt Marjolein, 'hoe meer je wegdoet, des te minder hoef je straks te verhuizen.'

11

Robin rijdt van de veerboot af. Een halfuurtje gaat hij mee met de stroom auto's landinwaarts. Dan verlaat hij de snelweg en rijdt door de heuvels van Kent. Een paar uur later is hij thuis. Hoewel, thuis? Hij merkt dat hij al behoorlijk afstand genomen heeft van zijn vertrouwde plek.

De tuin is erg verwilderd. Drie weken is hij weggeweest en nu groeit kruid en onkruid welig alle kanten op. Geen wonder, in de weken voor hij naar Nederland vertrok heeft hij zich totaal niet om de tuin bekommerd.

Hij zoekt zijn sleutels en gaat het huis binnen. Het ruikt er muf. Eerst maar eens de ramen opengooien. Wanneer hij in de kamer komt, is het plotseling of een hand hem in zijn nek grijpt. Er is iemand binnen geweest. Boeken zijn uit de kast gehaald, stapels papieren liggen verspreid over de grond, zijn bureau is volledig overhoopgehaald. Hij vloekt. Wie heeft dit veroorzaakt? Dieven? Nee, zo gaan dieven niet te werk. Hij weet het al. Het moet zijn ex zijn die het met zijn baas hield, en die hij resoluut eruit heeft gegooid. Is dit haar wraak? Een enorme woede kruipt in hem omhoog. Als ze hier was zou hij haar vermoorden. En die man erbij. Maar het is háár werk. Zij had natuurlijk nog de sleutel. Sukkel die hij was om die niet terug te vragen. Zijn woede keert zich tegen zichzelf. Alles heeft hij verkeerd aangepakt. Hij heeft zich laten misleiden, hij heeft zich laten gebruiken. En hij had niks in de gaten. O, wat een prutser is hij toch. Moedeloos laat hij zich op de bank neervallen. Nu zou hij een glas whisky willen. Gelukkig is dat spul niet in huis.

Opeens ziet hij in gedachten een paar blauwgrijze ogen die hem bemoedigend aankijken. Is het zijn moeder? Is het Sophie? 'Denk niet te min over jezelf, Robin. Je kunt het best.'

Hij wil die woorden geloven. Hij moet zichzelf niet neerhalen, maar iets doen. Hij kijkt in het rond. Zal hij de politie bellen? Die zal vragen of er dingen vermist worden. En dat is lang niet zeker. Zijn belangrijkste bezittingen heeft hij meegenomen naar Nederland. Papieren, geld, diploma's. Nederland, waar hij een oude boerderij heeft gezien, een plek waar hij wil wonen.

Daarom is hij immers hier. Hij wil dit huis verkopen. En daar gaat hij nu meteen mee beginnen. Hij komt overeind en zoekt in het telefoonboek het nummer van een makelaar. De man is nog niet aan zijn weekend begonnen. Ze maken een afspraak voor maandagmorgen.

Nu moet hij het huis toonbaar maken, want in deze puinhoop kan hij niemand ontvangen. Eerst loopt hij naar boven. Ze zal toch niet... In de badkamer is alles normaal. In de slaapkamer ook. Argwanend kijkt hij in de kasten. Niets bijzonders. Maar zodra hij zijn werkkamer binnenkomt, laait zijn woede weer op. Boven zijn bureau hangt het schilderij van Loch Glencoul, een van de beste die hij ooit geschilderd heeft. Met een mes is het doek opengesneden, in drie lange halen, zodat de lappen erbij hangen. Het doet hem bijna fysiek pijn. Aan dit schilderij heeft hij met zo veel vreugde gewerkt. Hij maakte het toen hij met de hulp van John uit de greep van zijn verslaving was gekomen. Het schilderij is voor hem altijd een symbool geweest van nieuw leven, vol mogelijkheden en creativiteit. Kort nadat hij het geschilderd had, vertrok hij naar Kent om zich toe te leggen op de tuinarchitectuur. Het schilderij ging mee en kreeg op elke plek waar hij woonde een ereplaats.

Opnieuw luistert hij naar zijn muze. Alsof ze naast hem staat. 'Je hebt talenten, Robin. En ik vind het dapper dat je je leven weer op orde hebt gebracht.'

Hij haalt heel diep adem. Sophie, ik laat me niet ontmoedigen. Ik ga verder. Bij de havezate gaat het lukken. En dit schilderij? Ik lap het een beetje op en neem het mee naar Nederland. Daar ga ik het opnieuw schilderen. Natuurlijk wordt het anders. Maar het zal hoe dan ook spreken van ruimte en vrijheid. Zodra ik mijn eigen huis heb, ga ik eraan beginnen.

Robin lacht. Hij weet opeens weer hoe het voelt om een penseel in zijn vingers te hebben, hoe het is om de eerste verf op een doek aan te brengen.

Hij gaat naar beneden en belt een timmerman. Die moet maandag een nieuw slot in zijn deur zetten. Daarna belt hij toch de politie. Deze ravage kan hij niet over zijn kant laten gaan. Gelukkig komen er meteen twee agenten kijken. Ze schrijven

166

van alles op en vragen of hij enig idee heeft wie dit gedaan kan hebben. Ja, dat heeft hij. Ze willen weten of er iets vermist wordt. Daar zal hij naar kijken als hij de boel opruimt. Volgende week kan hij naar de politiepost komen om aangifte te doen. En dat zal ik, denkt hij, ik laat niet over me lopen.

De rest van de dag gebruikt hij om uit te zoeken wat nu meteen mee naar Nederland moet. Het overige zal hij in kisten verpakken, zodat het later verhuisd kan worden. Later, als hij in zijn boerderij woont.

De tuin krijgt ook een beurt. Hij haalt het ergste onkruid weg en gooit het op een hoop. Een tuinarchitect kan niet in een wildernis wonen, denkt hij, zelfs een vertrekkende tuinarchitect niet.

Dagenlang is hij bezig. Vaak vergeet hij te eten. Dan haalt hij 's avonds in de pub een warme hap. De dorpsgenoten kijken hem meewarig en enigszins spottend aan. Ze weten wat er gebeurd is. Het deert hem niet. Hij is bezig met iets nieuws. Wat hij nu doet, is de laatste resten van zijn leven in Kent opruimen.

Na tien dagen rijdt hij terug naar Nederland. Het voelt als thuiskomen, al heeft hij nauwelijks onderdak. Alleen de stacaravan is er. Zijn kamer in De Wilde Roos heeft hij opgezegd voor hij naar Engeland vertrok.

Allereerst gaat hij bij de havezate kijken. Het werk is van start gegaan, alles gaat volgens plan. Hij hoeft niet meer elke dag te komen. Heer Diederik overhandigt hem een stapeltje post. Als hij de kaart van Sophie leest, grinnikt hij. Zijn muze is aan het pootjebaden. Hij zou haar op willen zoeken en samen met haar langs het strand wandelen. Liefst bij zonsondergang. Maar dat durft hij haar niet voor te stellen. Het klinkt al te romantisch. In plaats daarvan tekent hij een paar bloemen en schrijft de bekende tekst van Bacon eronder.

God Almighty first planted a garden,
and indeed it is the purest
of human pleasure.[1]

1 De Almachtige schiep eerst een tuin, en werkelijk, dat is de meest pure vreugde van de mens.

Het is avond, Tessa en Peter liggen in bed.

'Vreemd, maar deze zomervakantie gaat veel vlugger dan die van vorige jaren,' zegt Marjolein.

Ze zit met Sophie op het terras in de achtertuin. De deuren naar de woonkamer staan open, zodat ze de kinderen kunnen horen.

'We beleven ook zo veel,' zegt Sophie. 'Gisteren het Openluchtmuseum. En vandaag die tocht naar de Achterhoek. Denk je dat de kinderen het vandaag naar hun zin hebben gehad?'

'O ja, ik besteed ze wel vaker uit. En hier komen ook wel vriendjes en vriendinnetjes. Ze zijn er heel makkelijk in. En jij? Ben je niet vreselijk moe?'

'Dat valt mee. Ik ben wel blij dat jij vandaag gereden hebt.'

'Dat leek me beter. Ik wist niet zeker of je je hoofd er wel voldoende bij zou hebben na al die huizen.'

Sophie vindt dat geplaag heerlijk. Wilbert kon dat niet. De enige die het weleens doet, is Boukje. Maar Marjolein en zij zitten elkaar regelmatig voor de grap in de haren.

'Waar zie je me voor aan?'

'Voor een schoolkind dat een cadeautje mag uitzoeken.'

'Nou, eerlijk gezegd, zo voelt het wel. Wat een aardige huizen hebben we vandaag gezien. Het zal nog moeilijk kiezen zijn.'

Op de tafel ligt een hele berg info. Ze gaan er nu niet verder naar kijken, want Sophie weet dat ze er dan de halve nacht mee bezig zal zijn.

'Wat heb je de afgelopen week gedaan?' vraagt Marjolein. 'Heb je je niet verveeld zonder de kinderen?'

'Ik ben verdergegaan met opruimen. Onbegrijpelijk wat een mens veel spullen verzamelt.'

Dat het vooral de dingen van Wilbert zijn die de deur uit gaan, zegt ze er liever niet bij.

'Ik veronderstel dat je een heel goede relatie opbouwt met die handelaar in tweedehands.'

'Klopt. Van mij mag hij de spullen voor niks hebben. Maar hij wil er per se iets voor betalen.'

'Dat is zijn beroepseer, dat moet je hem gunnen.'

'Ja, en het houdt de lucht zuiver. Wat ik van hem krijg, gaat naar een potje in het verpleeghuis.'

'Kom je daar nog vaak?'

'Regelmatig. Al is het tegelijk een soort afscheid nemen.'

'In de Achterhoek zijn ook verpleeghuizen.'

'Daar twijfel ik niet aan. Er is zo veel vrijwilligerswerk te doen. Maar voor ik ergens op afvlieg wil ik me helemaal settelen.'

'Je huis én je tuin!'

'En niet te vergeten mijn familie. Ik kreeg van Dorien een foto met een briefje erbij.'

Sophie haalt een envelop tevoorschijn en overhandigt die aan Marjolein.

'Hier, lees zelf maar.'

Op de foto zit Sophie voor te lezen, met Janneke en Tessa naast zich, ieder aan een kant. Dorien schrijft:

Deze foto nam Huib tijdens onze vakantie in De Wilde Roos. Janneke heeft er ook een afdruk van. Die koestert ze als een kostbare schat.

'Het lijkt erop dat je een vast punt in haar bestaan bent geworden,' zegt Marjolein.

'Dat denk ik ook. Weet je nog dat we vanuit Blijdorp die kaart met giraffen naar haar stuurden?'

Marjolein knikt.

'Ik kreeg verleden week een kaart terug. Met een bedankje.'

'Hoe voelt dat?'

'Heel goed. Weet je, ik voel me rijk met jou en de kinderen. Daardoor lijkt het of ik veel meer te geven heb.'

'Iets wat je aan je man niet kwijt kon.'

'Precies.'

Sophie voelt opnieuw het gemis, de kilte van al die jaren.

'Waren er geen andere mensen aan wie je wat aandacht kon geven?'

Sophie laat de vraag even op zich inwerken. Is ze blind

169

geweest voor de behoeften van anderen? Of waren die er eenvoudig niet?

'Vóór mijn trouwen, toen ik in de verpleging werkte, kon ik wel veel aandacht geven. Professioneel natuurlijk, maar toch. Ik vond het ook fijn werk. Later hadden we Norbert. Hij is altijd heel gesloten geweest en voelde zich bijna beledigd als ik me te veel met hem bemoeide. In zijn puberteit was hij nogal nors en afwerend.'

'Had hij wel vrienden?'

'Soms. Hij speelde de baas toen ze klein waren. En was behoorlijk dominant in zijn middelbareschooltijd.'

'Dat herken ik,' zegt Marjolein. 'Toch had hij ook heel positieve kanten. Hij was een doorzetter, die veel bereikte. Als ik hem ergens bij nodig had, bijvoorbeeld voor het huis of voor mijn auto, dan hielp hij zonder aarzelen, hoe druk hij het ook had.'

'Vreemd is dat,' peinst Sophie hardop, 'van zijn leven na die breuk met Wilbert weet ik vrijwel niets af. Wil je me daar wat over vertellen? Of vind je dat vervelend?'

'Nee hoor. Weet je wat, ik haal een paar fotoalbums. Dan hebben we de plaatjes erbij.'

De zomeravond is zo licht dat ze buiten kunnen blijven. Marjolein vertelt.

'Deze foto is gemaakt op een feestje bij vrienden. Hier kennen we elkaar nog maar kort.'

Er volgen meer van dezelfde foto's. Sophie ziet dat er altijd andere mensen bij zijn.

'Gingen jullie er nooit met z'n tweeën op uit?'

'Alleen in de vakanties. De rest van het jaar zochten we ons vertier te midden van anderen.'

'Hoe kon je elkaar dan goed leren kennen?'

'Dat is ook nooit echt gebeurd. Achteraf heb ik me dat pas gerealiseerd.'

Het album met de trouwfoto's gaat open. Een plechtigheid op het stadhuis. Geen ouders, wel veel vrienden. Prachtige kleren en een schitterend diner.

'Je was een mooie bruid,' zegt Sophie.

170

'Ik dacht dat je iets van Norbert wilde zien.'

'Jij bent net zo belangrijk voor me.'

Marjolein krijgt een kleur.

'Dank je, Sophie.'

De kinderen dienen zich aan. Sophie bekijkt hen met aandacht. Jammer dat ze deze periode niet heeft meegemaakt. Ze is benieuwd te zien hoe Norbert met de kleintjes omging. Er is maar één foto die daar iets over zegt. Norbert zit op de bank en leest de krant. Peter, een peuter van hooguit twee jaar, staat bij hem. Hij houdt zich vast aan zijn vaders broekspijp, zijn gezichtje verwachtingsvol omhooggeheven. Norbert lijkt het niet te merken. Hij is verdiept in de krant. Peter kon er evengoed niet zijn. Het is een momentopname, maar toch raakt het Sophie.

'Had hij wel aandacht voor de kinderen?' vraagt ze.

'Niet veel.'

'En voor jou?'

'Hetzelfde verhaal. Zijn werk werd zijn eerste liefde. Hij was vreselijk ambitieus.'

'Wat kun je eenzaam zijn in een huwelijk, hè?'

Marjolein knikt.

'Het was niet alleen kommer en kwel,' zegt ze dan. 'Er waren zeker ook goede momenten.'

'Dat geloof ik. Weet je, als ik in mijn nieuwe huis woon, wil ik Norbert schrijven en hem vragen of hij me komt opzoeken wanneer hij weer in Nederland is.'

'Een goed idee. Hij doet het vast. Maar verwacht verder geen diepgaande gesprekken. Misschien kun je ergens met hem gaan eten.'

'In een chic restaurant, vermoed ik.'

'Dat lijkt me het beste.'

Ze schieten tegelijk in de lach.

'En nu een glas wijn,' zegt Marjolein. 'Op onze toekomst.'

De dag erna hebben ze veel tijd voor de kinderen. Sophie speelt memory en verliest keer op keer. Ze voetbalt met Peter op het trapveldje achter hun huis. Ook hier brengt ze niets van terecht.

'Ik denk dat jouw opa dat veel beter kan,' roept Peter.

Sophie gelooft het meteen.

Als ze haar handen vrij heeft, bekijkt ze op haar gemak de informatie die ze de vorige dag zo overvloedig heeft meegekregen. De huizen die voor bezichtiging in aanmerking komen, legt ze apart.

'Dat wordt nog flink wat op en neer rijden,' zegt ze tegen Marjolein.

'Leuk toch.'

'Zoveel tijd mag ik niet van je vragen. Straks begint je school weer.'

'Dat is zo. Maar je kunt in je eentje vast poolshoogte gaan nemen. Als je definitief moet beslissen, kan ik altijd meegaan. Wanneer je dat wilt tenminste.'

'Natuurlijk.'

'En je kunt meneer Harper ook weleens meevragen. Ik heb begrepen dat hij het nu niet meer zo druk heeft.'

'Dat klopt. Hij zal het graag doen.'

'Een gezellig uitje voor jullie samen,' lacht Marjolein.

'Niet zo romantisch, jij. Het is hard werken.'

's Avonds brengen ze samen de kinderen naar bed. Ze maken er veel werk van. Later zitten ze in de keuken. Marjolein maakt een lijst met de boodschappen die ze morgen moet halen. Sophie zoekt een paar huizen die bij elkaar in de buurt staan. Morgenochtend zal ze erheen rijden, zodat ze de woonomgeving kan bestuderen. En misschien kan de makelaar op zo'n korte termijn een bezichtiging regelen. Ze ziet wel hoe ver ze komt.

Dan gaat de telefoon. Marjolein loopt naar de kamer om hem aan te nemen. Na een poos komt ze terug met een strak, wit gezicht. Sophie kijkt haar vragend aan, plotseling ongerust.

'Dat was Jessica,' zegt Marjolein. 'Er is iets vreselijks gebeurd.'

Sophie schrikt. Jessica, het hotel... een plek die veel voor haar is gaan betekenen, mensen die vrienden zijn geworden.

'Daan is verongelukt met zijn sportwagen. Renate is er helemaal ondersteboven van.'

'Is hij dood?'

'Op slag. Hij reed over de honderd en in de bocht ging het mis.'

'Het lijkt wel zelfmoord.'

'Ik weet het niet. Op sommige dagen was Daan zichzelf niet. Dan deed hij de meest vreemde dingen. Die arme Renate.'

'Wil je erheen?'

'Als het kan wel. Zou jij morgen op willen passen?'

'Natuurlijk.'

'Maar je had toch andere plannen?'

'Die wachten wel. Ga jij Renate maar bijstaan, dat is honderd keer belangrijker.'

'Dan zal ik haar meteen bellen.'

Als Marjolein terugkomt, bedenken ze samen wat er geregeld moet worden. Erg veel is dat niet. Sophie kent de gang van zaken al.

'Ik doe morgen die boodschappen wel. Ik neem de kinderen mee, dan kunnen ze me helpen.'

'Daar willen ze wel een ijsje mee verdienen, ben ik bang.'

'Geen punt. Is er nog een gezellig uitje? Geen dierentuin, alsjeblieft.'

'Sonsbeek vinden ze leuk. Er is een beekje en een waterval.'

'Prachtig. Dat komt wel goed.'

's Avonds in bed denkt Sophie aan Renate. Wat een schok moet het voor haar zijn. Van het ene moment op het andere je man te verliezen! Sophie herinnert zich nog hoe het haar de afgelopen winter verging. Enkele dagen voor Kerst kreeg Wilbert een hartaanval toen hij op zijn kantoor was. De ambulance was er snel bij. Maar toen zij in het ziekenhuis kwam was Wilbert al overleden. Ze kon het nauwelijks bevatten. Gelukkig was Boukje er. Die loodste haar door de eerste dagen heen. Ook Agnes schoot te hulp, en nam ongevraagd alle huishoudelijke taken op zich. Samen met Rieuwert en Boukje regelde ze de begrafenis. De zakenpartner leverde zijn eigen bijdrage. Soms had Sophie het idee dat alles haar uit handen genomen werd. Graag had ze iets willen doen, alleen wist ze niet wát. En nu zit Renate in diezelfde verwarring. Toch is er een groot verschil. Renate moet een hotel draaiend houden. Er rust een enorme verantwoordelijkheid op haar schouders. Terwijl zíj, Sophie, alleen maar de vrouw van Wilbert was. Toen hij er niet meer was, kwam de leegte. Wie was ze eigenlijk zelf? Nu probeert ze een nieuw bestaan op te bouwen. Maar nog steeds is die vraag er, op de achtergrond.

Gelukkig heeft Renate ook mensen om zich heen. Jessica. En morgen Marjolein.

Het duurt lang voor Sophie in slaap valt.

De volgende ochtend zitten ze vroeg aan het ontbijt. Marjolein legt uit waarom ze vandaag weg moet.

'Gaat oma mee?' vraagt Tessa.

'Nee, oma blijft bij jullie.'

Dat lijkt haar gerust te stellen.

'Hoe kon meneer De Wilde nou doodgaan?' wil Peter weten.

'Hij kreeg een ongeluk met zijn auto.'

'Die zo hard kon?'

'Ja.'

'Is die auto nou kapot?'

'Ja.'

'Jammer.'

Sophie krijgt er een koud gevoel van. Is die auto het belangrijkste? Of beseft Peter niet wat er gebeurd is? Heeft hij iets van Wilbert meegekregen, een materiële instelling? Kan dat bij een kind van vijf? Sophie durft haar schoondochter niet aan te kijken.

Met z'n drieën brengen ze Marjolein naar de auto.

'Wanneer kom je terug, mama?' vraagt Tessa.

'Vanavond. Ik bel jullie nog wel. Maak er een gezellige dag van, ja?'

Ze rijdt weg. Even is het onwennig. Sophie ruimt de ontbijttafel af en zegt: 'Zullen we eerst die boodschappen doen?'

Tessa knikt. Peter heeft er geen zin in.

'Maar jij moet me wel de weg naar de winkel wijzen,' zegt Sophie.

'Gaan we met de auto?'

'Ja hoor.'

174

'Mag ik dan voorin zitten?'

'Nee, dat mag niet.'

Peter legt zich erbij neer. Het is best gezellig in de supermarkt. Sophie koopt een zak chips voor de kinderen, iets wat ze anders zelden krijgen. Bij de kassa staat bellenblaas. Sophie pakt twee potjes.

'Wil jij niet bellenblazen, oma?' vraagt Tessa.

'O, eigenlijk wel.'

Sophie legt er een derde potje bij.

Later staan ze in de tuin en kijken wie de grootste bel kan blazen.

Het bezoek aan Sonsbeek is ronduit een succes. De kinderen kennen er de weg. Ze rennen over de paden en over het gras. Ze hurken neer bij het beekje en laten stokjes meedrijven op de stroom. Bij de waterval blijven ze staan. Sommige kinderen wagen zich achter de muur van water.

'Dat durf ik niet,' zegt Tessa.

'Ik ook niet, hoor,' stelt Sophie haar gerust, 'het is daar veel te nat.'

Peter voelt er ook niks voor.

'Jouw opa durft dit wel, hè?' vraagt hij aan Sophie.

'Dat moeten we hem eens vragen.'

Grappig dat Peter het steeds over Robin heeft. Zou hij nog aan zijn avontuur in de vijver van De Wilde Roos denken? Het is wel duidelijk dat Robin zijn held is.

Ze wandelen verder. Sophie geniet van het mooie park met zijn statige bomen en heuvelachtige aanzien. De kinderen wijzen haar waar je ijs kunt kopen.

's Avonds onder het eten belt Marjolein.

'Hoe gaat het?'

'Prima,' zegt Sophie.

'Ik ben om een uur of acht thuis. Leg de kinderen maar vast in bed. Ze mogen proberen of ze hun ogen open kunnen houden.'

Als Marjolein thuiskomt vindt ze Peter diep in slaap. Tessa ligt klaarwakker met een knuffel in haar armen. Ze is duidelijk opgelucht.

'Heb je een fijne dag gehad?' vraagt Marjolein.

'Ja. We zijn naar Sonsbeek geweest. Oma hoeft nog niet weg, hè?'

'Van mij mag ze blijven zo lang ze wil. Maar ik weet niet wat ze zelf wil.'

'Ze wil een speelhuisje.'

'Hoe kom je daarbij?'

'In de tuin van het nieuwe huis.'

'Dat is een goed plan. Bedenk maar eens hoe dat eruit moet zien.'

Beneden wacht Sophie. Ze heeft koffiegezet.

'Hoe was het in De Wilde Roos?'

'Renate is verslagen. Jessica is er nu dag en nacht. Ze heeft de leiding van het hotel tijdelijk in handen genomen. De rest van het personeel draait ook overuren.'

Marjolein roert gedachteloos in haar koffie.

'Renate probeert steeds contact te krijgen met Vincent, hun zoon. Die trekt ergens door Australië. Kortgeleden heeft hij haar nog gebeld. Hij was al van plan om naar huis te komen.'

'Maar nu is er haast bij. Wat deed hij daar aan het andere eind van de wereld?'

'De boel bekijken. En zo ver mogelijk weg zijn van zijn vader. Hij kon niet opschieten met Daan.'

'Die was geloof ik niet zo gemakkelijk.'

'Hij was erg onevenwichtig. Het ene moment de vlotte bink, het andere op het depressieve af. Zo instabiel, dat is heel moeilijk voor een zoon.'

'Had Renate daar geen moeite mee?'

'Jazeker. Altijd dat leven met onzekerheid, met ingehouden adem. Ze wist nooit wat er het volgende moment zou gebeuren. Woede, of een verwijt. Of een enorme afhankelijkheidsverklaring. Soms dreef hij haar tot wanhoop. Maar ze hield toch veel van hem.'

'Heel dubbel dus.'

'Eigenlijk wel.'

Sophie moet weer terug naar Rotterdam. Ze gaat via Doetinchem, waar ze een afspraak heeft kunnen maken met een

176

makelaar. Drie huizen zijn er te bezichtigen. Het eerste valt meteen af. Er is bijna geen tuin bij. De andere twee bekijkt ze van onder tot boven. Voorlopig kunnen deze in de race blijven. Nu rijdt ze regelrecht naar het westen, zachtjes mopperend op zichzelf. Argeloos als een kind heeft ze naar de prijzende woorden van de makelaar geluisterd. Maar heeft ze niets over het hoofd gezien? Heeft ze de goede vragen gesteld? Bijvoorbeeld, blijft dat mooie uitzicht vanuit die laatste woning bestaan? Of verrijst daar volgend jaar een nieuwbouwwijk? Daar had ze natuurlijk naar moeten informeren.

Wilbert heeft haar ook in dit opzicht klein gehouden. Hij overlegde nooit met haar, hij besliste zelf. Maar vanaf nu gaat het anders, neemt Sophie zich voor. Een van de vrijwilligers in het verpleeghuis heeft verleden jaar een nieuw huis gekocht. Sophie heeft nauwelijks naar haar verhalen geluisterd. Maar nu gaat ze die dame vragen of ze haar wijs wil maken omtrent alle voetangels en klemmen. Natuurlijk is Marjolein er ook. En Robin. Ze zal zich zo goed mogelijk oriënteren. Sophie voelt zich er direct beter door.

In één ruk rijdt ze door naar huis. Ze vraagt zich af of het eenzaam zal zijn. Ze denkt van niet. De kinderen zijn nu in haar leven. En Marjolein, die bij het afscheid zei: 'Je kamer blijft hier altijd beschikbaar, hoor. Je komt maar zo vaak je wilt.'

Het is wel onwennig in haar eigen huis. De kamers zien er veel te opgeruimd uit. Dat valt op na de logeerpartij bij Marjolein. Daar lag altijd wel speelgoed of een boek en in een hoek slingerden sandalen en T-shirts. Daar werd geleefd.

Ze kijkt naar het schilderij boven de schouw dat Tessa zo'n schrik bezorgde en herinnert zich de opmerking van Marjolein. Vraag meneer Harper advies. Dat is een goed idee. Maar wat moet ze zeggen? Moet ze de kunstwerken beschrijven? Ze zou niet weten hoe. De naam van de schilder staat wel in een hoekje, maar die kan ze niet ontcijferen. Er zit maar één ding op, Robin moet ze zelf zien. Daarom schrijft ze een briefje. Of hij haar een gunst wil bewijzen door naar deze schilderijen te komen kijken en haar te adviseren. Ze stuurt het naar de havezate, dan bereikt het hem wel.

's Middags brengt ze een bezoek aan Agnes. Die snakt naar het moment waarop het gips eraf mag, zodat ze weer voluit kan gaan.

'Dat gehompel is niks waard,' moppert ze.

'Doe het rustig aan,' adviseert Sophie.

'Ik rustig? Zo oud ben ik nog niet. Volgende week sta ik weer bij u op de stoep. Die twee kleinkinderen van u hebben het vast niet schoon achtergelaten.'

'Ik heb alles gestofzuigd, hoor,' stelt Sophie haar gerust.

'Nou ja,' is het commentaar.

Sophie verbergt een glimlach. In de ogen van Agnes stellen haar huishoudelijke kwaliteiten niet zo veel voor.

'Ik moet je trouwens iets vertellen,' zegt ze. 'Ik wil verhuizen.'

Daar schrikt Agnes van.

'Maar ik kan toch wel bij u blijven werken?'

'Dat zou ik graag zien. Maar ik zoek iets in de buurt van Arnhem.'

'Ik snap het al. Vanwege die twee kleintjes.'

Sophie knikt. En Marjolein niet te vergeten, denkt ze. En dat derde kleintje, Janneke.

'Hebt u al wat op het oog?'

'Ik ben nog maar net begonnen met zoeken.'

'O, dan duurt het nog wel even.' Agnes is voorlopig gerustgesteld. 'En wanneer u gaat verhuizen, dan help ik u natuurlijk.'

'Dat is geweldig, ik reken op je.'

Robin belt.

'Dank je voor je brief, Sophie. Ik kom met plezier kijken. Mag ik jou dan ook om een gunst vragen?'

'Jazeker.'

'Wil je met mij langs het strand wandelen? Liefst bij avond.'

'Eh, ja, natuurlijk.'

Sophie vraagt zich af wat hij wil. Bij avond langs het strand?

'Zou je morgen kunnen?' vraagt hij, 'de weersverwachting is goed.'

178

Ze spreken af dat hij voor in de middag zal komen.

Robin arriveert om halfdrie. Met een kennersblik observeert hij het huis. De architect in hem ziet de strakke lijnen, de volmaakte verhoudingen. Een knappe opzet. Dit bouwsel is bedoeld om indruk te maken. Maar het doet hem vreemd aan dat Sophie hier woont. Dit huis past niet bij haar. Hij grijnst. Dat heeft ze zelf ook allang ontdekt. En hij komt hier niet om over een huis te oordelen, hij is hier om schilderijen te bekijken. Nou, benieuwd is hij wel. Hij loopt over de oprit en belt aan. Sophie doet open.

'Welkom, Robin. Heb je een goede reis gehad?'

'Prima.'

'Zullen we eerst iets drinken?'

'Goed idee.'

Sophie gaat hem voor naar de keuken. Ze wil niet meteen in de salon gaan zitten, bij dat schilderij. Was er nu maar een aardig hoekje in de tuin. Robin kijkt om zich heen naar alle apparatuur en denkt aan het tweepits gasstelletje in zijn caravan.

'Kun jij met al die apparaten omgaan, Sophie?'

'O jawel. Maar ik gebruik ze bijna nooit. Zeker het laatste halfjaar niet.'

'Hoe gaat je nieuwe keuken eruitzien?'

'Een soort woonkeuken lijkt me handig. Een kleine eethoek waar je uitzicht hebt op de tuin. Veel minder van die apparaten. Wel een goede oven.'

'Hou je van koken?'

'Ja. Alleen vandaag niet. Want ik wil je uitnodigen in een paviljoen met uitzicht op zee. Daar kunnen we achter in de middag eten, en dan later langs het strand wandelen.'

'Lijkt me geweldig.'

'En hoe is het jou in Engeland vergaan?'

'Goed. Mijn huis staat nu te koop. Er is veel vraag naar dit soort huizen, zei de makelaar. Ik heb een aantal dagen lopen opruimen en inpakken. De tuin was een wildernis. Het is maar goed dat jij die niet hebt gezien.'

Sophie lacht.

'Elke wildernis heeft zijn charme. Ben je nog bij de boerderij wezen kijken?'

'Ja. Ik krijg er steeds meer zin in. De deel zou heel geschikt zijn als werkplaats. Ook om te schilderen.'

Ze kijkt verrast op.

'Ga je dat weer doen?'

'Ja.'

Robin bekijkt de schilderijen die in het huis hangen. Hij neemt er de tijd voor en maakt wat aantekeningen. Pas als hij klaar is durft Sophie te vragen: 'Wat vind je ervan?'

'Knap geschilderd, maar ik begrijp dat je er niet van houdt.'

'Wat moet ik ermee doen?'

'Wil je ze echt kwijt?'

'Ja.'

'Ik heb een vriend van vroeger, die een kunstgalerie heeft. Misschien wil hij ze voor je verkopen.'

'Hij mag ze voor niks hebben,' flapt Sophie eruit.

Bestraffend kijkt hij haar aan.

'Kunst gaat nooit voor niks over de toonbank.'

Ze ziet dat zijn ogen ondeugend schitteren.

'Ik wist niet dat dit kunst was,' lacht ze.

'Niemand weet precies wat kunst is.'

In het paviljoen eten ze een visschotel. Beneden zich zien ze hoe het strand langzaam leegloopt. De gezinnen gaan het eerst naar huis.

'Ik ben hier met Marjolein en de kinderen geweest,' vertelt Sophie. 'We hebben genoten.'

'Hoe gaat het met het tweetal? Is de band met hun oma aan het groeien?'

'O ja. Ik heb ook bij hen in Arnhem gelogeerd.'

Robin ziet de glans die in haar ogen komt. Gefascineerd kijkt hij ernaar. Haar altijd wat gereserveerde blik is opeens warm en vol liefde. Hij luistert naar haar relaas en vraagt verder. Vooral omdat dit gezicht hem zo mateloos boeit. Zo is Sophie helemaal echt. Zo heeft hij haar leren kennen in De Wilde Roos. In het begin van de middag, in haar Rotterdamse huis, was ze terughoudend, bijna geremd. Het lag ook aan dat huis, hij weet het.

180

Zelf vond hij het ook sfeerloos. Bijna ondenkbaar dat Sophie daar zoveel jaren gewoond heeft. Ze past er niet. Het leek wel... tja, waar leek ze op? Een roos in een laboratorium, denkt hij. Maar nu, in dit gemoedelijke paviljoen bij het strand en vertellend over haar kleinkinderen, is ze helemaal zichzelf.

'Peter heeft het trouwens vaak over je.'

'O ja?'

'Hij zit helemaal tussen het vrouwvolk. Misschien heeft hij behoefte aan een vaderfiguur.'

'Een opafiguur zul je bedoelen.'

'In elk geval iemand die met hem kan voetballen.'

'Ik voel me vereerd.'

Sophie lacht. Ze herinnert zich hoe Robin met de nek werd aangekeken toen hij pas in De Wilde Roos was. En hoe snel dat veranderde. Opeens was hij een beeldhouwer en keek iedereen naar hem op. Wat zijn kinderen dan anders, denkt ze. Die kijken niet naar iemands uiterlijk, die komen je argeloos tegemoet en stellen onbevangen hun vragen. Tot ze wat ouder zijn en geleerd hebben dat zoiets onbeleefd is. Maar die kleinsten... verrukkelijk.

'Wat zit je me aan te kijken, Robin?'

'Ik vind het fijn dat je zo zit te genieten.'

'Praat ik niet te veel over die kleine deugnieten?'

'Je hebt vast wat in te halen.'

Wat later, als de zon al laag staat, lopen ze langs de zee. Het is eb. Er is een brede strook hard zand waar het makkelijk wandelen is. Een frisse wind jaagt wolken langs de hemel.

'Kijk toch eens naar dat licht,' wijst Robin. 'Die golven hebben ieder moment een andere kleur.'

Nu ziet Sophie het ook. Ze blijven staan om het in zich op te nemen.

'Zou je dat kunnen schilderen?'

'Ik ga het in elk geval proberen.'

Nu begrijpt Sophie waarom hij met haar op een avond langs de zee wil wandelen. Hier doet hij inspiratie op. En zij is immers zijn muze. Nou, dat wil ze graag zijn. De zee is adembenemend mooi.

Lang staan ze te kijken naar het spel van licht en schaduw. Op de terugweg vertelt Robin haar over het vernielde schilderij dat hij in zijn huis aantrof.

'Vroeger zou het me ontmoedigd hebben. Maar nu geeft mijn boosheid me als het ware de impuls om verder te gaan met schilderen. Ik heb er zin in.'

Pas 's avonds, als ze weer alleen zit, bedenkt Sophie dat ze Robin niet verteld heeft over het ongeluk van Daan de Wilde. Zijn ze zo opgegaan in hun eigen dingen?

12

Sophie belt naar Marjolein. Het is later op de avond, dan kan ze er zeker van zijn dat de kinderen slapen. Eerst vraagt ze naar ieders welzijn.

'De scholen zijn weer in volle gang,' vertelt Marjolein. 'Peter klaagt dagelijks over zijn nieuwe juf, die veel te streng is. Tessa lijkt tevreden. Ze zit weer naast Maaike en gaat 's morgens vol goede moed naar school.'

'Heb jij er ook plezier in, Marjolein?'

'O ja, hoor. Er zitten twee lastige klassen bij. Die kinderen proberen voortdurend hun grenzen te verleggen. Over een paar weken weten ze precies waar ze aan toe zijn en dan kan het misschien een beetje gezelliger worden. Hoe gaat het met jou?'

'Goed. Er zijn twee keer kijkers geweest voor het huis. Toen ik de lovende woorden van de makelaar hoorde, begreep ik pas dat dit zo'n beetje het mooiste huis van de stad is. Dat heb ik nooit geweten.'

'Aan jou was dat moois niet besteed. Zo zie je maar dat mensen heel verschillend naar de dingen kijken.'

'Ja, zeker. Dat doet me denken aan de schilderijen waar ik vanaf wil. Robin heeft ze gezien. Een vriend van hem wil ze wel in zijn galerie hebben en proberen ze te verkopen. Robin heeft ze gisteren opgehaald.'

'Hij wilde je natuurlijk weer eens zien.'

'Hou je mond, deugniet. Zijn auto is veel groter dan de mijne. En hij weet hoe je die schilderijen moet verpakken en vervoeren. Agnes was gistermorgen juist bij me. Ze dacht dat hij de handelaar in tweedehandsspullen was.'

Marjolein schiet in de lach.

'Heb je dat tegen hem gezegd?'

'Nee, dat leek me niet respectvol. Robins huis in Engeland is trouwens verkocht. Hij gaat nu af op dat boerderijtje waar ik je over verteld heb.'

'Waar jij die vrolijke aquarellen hebt gekocht?'

'Ja. Het ligt daar zo prachtig in het landschap. En de deel is een geschikte werkruimte. Hij wil ook weer gaan schilderen.'

'Dat belooft wat. Zijn portretten waren al zo goed.'

'Ik bel je eerlijk gezegd voor iets heel anders. Vanmorgen kreeg ik telefoon van Dorien. Janneke ligt in het ziekenhuis vanwege een blindedarm. Ze is geopereerd, maar er zijn complicaties. En de koorts wil maar niet zakken.'

'Arm kind.'

'Ja. Dorien bezoekt haar iedere ochtend. Maar 's middags lukt dat niet zo goed met die kinderschare. Meestal gaat Huib er 's avonds nog even langs. Dorien vroeg me of ik het middagbezoek kan doen. Een keer, of liefst wat vaker. Nou, met liefde. Maar dan zou ik graag bij jou logeren.'

'Natuurlijk, Sophie. Wanneer kun je komen?'

'Morgenochtend, schikt dat?'

'Ja hoor. De buren hebben de sleutel. Ik zal zeggen dat jij die de komende dagen in beheer hebt.'

'Fijn.'

'De kinderen zullen het ook gezellig vinden.'

'Ik verheug me erop.'

Sophie belt nog eens met Dorien en belooft dat ze de volgende middag bij Janneke op bezoek zal gaan.

'Wat kan ik voor haar meebrengen, Dorien?'

'Oei, even denken. Wat vruchtensap? Eten wil nog niet zo.'

'Vruchtensap, oké. Is er nog iets wat minder vergankelijk is? Een boekje of zo?'

Dorien aarzelt.

'Ze is niet zo'n lezer. De laatste tijd is ze wel idolaat van olifanten. Dat komt door een kinderserie op de televisie.'

'Dan vind ik wel wat. Marjolein biedt me de komende dagen onderdak, dus voorlopig kan ik het middagbezoek voor mijn rekening nemen.'

'Heel graag. We bellen nog wel.'

Sophie zoekt de kinderafdeling op. Ze schrikt van het smalle muizengezichtje in het kussen. Maar zodra Janneke haar in de gaten heeft, begint ze te stralen.

'Oma!'

'Dag Janneke.'

Sophie schuift een stoel bij en pakt het handje dat op de deken ligt. Het voelt iets te warm aan.

'Wat lig jij hier mooi.'

Dat was Janneke nog niet opgevallen.

'Wie heeft die slinger gemaakt?'

'Daisy en Roel. Ze mogen niet hier komen, daarom hebben ze die voor mij gemaakt.'

'Dat is aardig.'

Sophie kijkt naar de andere patiëntjes. Eén kind ligt warempel nog te slapen. Twee anderen hebben bezoek. Het is een rustig zaaltje. De meeste kinderen zijn waarschijnlijk nog te ziek om veel drukte te maken.

'Kijk eens wat ik voor je heb meegebracht.'

Sophie haalt een klein, zacht olifantje tevoorschijn. Janneke is verrast.

'Is die voor mij?'

'Ja. Dan heb je een vriendje bij je. Want echte olifanten mogen hier vast niet komen.'

'Echte olifanten zijn in het circus.'

Janneke bekijkt haar nieuwe aanwinst van alle kanten en houdt hem tegen haar wang.

'Vind je hem lief?'

'Ja.'

'Ik ook. Hij stond in de winkel naar me te kijken. Ik vroeg hem of hij met me mee wilde naar jou toe. En dat wilde hij heel graag.'

'Moet hij later weer terug?'

'Nee hoor, hij mag altijd bij jou blijven.'

Janneke zucht tevreden.

'Ben je weleens in het circus geweest?' vraagt Sophie.

'Nee. Op televisie heb ik het circus gezien.'

'Hoe vond je dat?'

'Mooi.'

'Wat vond je het leukste?'

'De clown. Die maakte allemaal grapjes.'

Er komt een zuster binnen.

'Kijk eens aan, Janneke, je hebt bezoek.'

'Ja, oma.'

'Gezellig. Hier is drinken voor je.'

Na een uurtje ziet Sophie dat Janneke moe wordt.

'Nu moet ik weg. Morgenmiddag kom ik weer bij je.'

Ze geeft Janneke een kus op haar wang. Twee armpjes klemmen zich om haar nek.

'Oma, je moet blijven.'

Voorzichtig maakt Sophie zich los uit die omarming. De verpleegster in haar geeft antwoord.

'Ga lekker liggen, liverd. Probeer een beetje te slapen. Als ik er morgen weer ben, dan wil ik kunnen zien dat je een stukje beter bent.'

Janneke accepteert het.

'De olifant blijft bij je. Bedenk je een naam voor hem?'

Op de terugweg zoekt Sophie een boekwinkel op. Ze vraagt in de kinderhoek naar een boek over het circus. Voor een jaar of zes, en graag met veel plaatjes. Gelukkig is dat er. Ze koopt twee exemplaren. Tessa en Peter zullen er ook wel plezier aan beleven.

Als ze bij Marjolein naar binnen stapt, voelt het als thuiskomen. De kinderen vertellen over hun schoolavonturen. Daarna helpt ze Marjolein met aardappels schillen. Het gaat allemaal zo vanzelf.

Sophie gaat iedere middag naar het ziekenhuis. Janneke rekent nu op haar. Dat geeft een goed gevoel. Iemand heeft haar nodig.

Op de tweede dag zegt Marjolein: 'Ik zou graag morgenavond naar Renate gaan. Kun jij dan oppassen?'

'Dat spreekt vanzelf.'

Sophie geniet van de kinderen. Het tweetal weet dat ze van hun oma altijd iets meer gedaan krijgen dan van hun moeder. En daar maken ze gretig misbruik van.

's Avonds komt Marjolein laat thuis. Sophie heeft op haar gewacht.

'Hoe was het daarginds?'

'Moeilijk. Renate zit vol schuldgevoel. Had ze Daan maar niet zo veel ruimte gegeven voor zijn dwaasheden. Meer op hem ingepraat en zo.'

'Zou dat geholpen hebben?'

'Ik denk het niet. Hij deed toch wat er in dat zieke hoofd van hem opkwam. Wanneer ze hem tot redelijk gedrag probeerde over te halen, dan voelde hij zich bekritiseerd en zat hij zomaar weer in de put.'

'Ze kon het dus nooit goed doen.'

'Soms wel. Het was laveren tegen de wind in. Gelukkig is Vincent nu bij haar. Hij vangt in het hotel een heleboel op. Soms op zijn eigen manier en dat valt niet altijd goed.'

'Bij Renate niet?'

'Bij het personeel niet. Daan had nog wel gezag. Vincent zou naar het personeel moeten luisteren. Bovendien scharrelt hij nu met een van de kamermeisjes. Renate kan er eigenlijk geen problemen meer bij hebben, maar hij doet er heel luchtig over.'

'Lijkt hij op Daan?'

'Dat zou kunnen. Renate wil geen kritiek leveren, ze is blij dat hij er is.'

Sophie heeft met Renate te doen. Maar ze denkt ook aan de kordate manier waarop ze problemen aanpakte en alles deed om haar gasten te helpen. Zoals toen met Peter.

'Er is nog iets,' zegt Marjolein. 'Daan heeft schulden gemaakt. Niet alleen om die auto te kunnen kopen, maar ook omdat hij regelmatig gokte. Daar wist Renate niks van. Maar nu komt het aan het licht. De inkomsten van het hotel zijn niet voldoende om dit soort gaten te dichten.'

'Wat afschuwelijk.'

'Ze kunnen nog wel een poosje voort. Maar Renate ziet geen echte oplossing.'

Sophie is er stil van. Zoveel problemen voor één mens alleen. Het is moeilijk te begrijpen. Er schiet haar iets te binnen.

'Ik heb voor half september nog een vakantie geboekt in De Wilde Roos. Moet ik die door laten gaan?'

'O ja, dat moet je zeker doen. Het hotel kan niet stil komen te liggen.'

Vanuit Arnhem rijdt Sophie naar de Achterhoek. Er zijn nog een paar huizen die ze wil bekijken. Niet alleen de huizen, maar ook het dorp eromheen. Een definitieve keuze heeft ze nog niet kunnen maken.

Onderweg zijn haar gedachten bij Marjolein, die duidelijk tot steun is voor Renate. Jammer dat ze niet zo vaak naar De Wilde Roos toe kan gaan. Maar gelukkig is er telefoon.

Er vliegt een haas over de weg. Sophie schrikt. Opletten, meisje.

Een halfuur later rijdt ze door een brede, rustige laan in de buitenwijk van een wat groter dorp. Aan beide zijden staan lindebomen, die veel schaduw geven. De huizen liggen ver uit elkaar. Het valt Sophie op dat er vrijwel geen verkeer is. Er fietst een vrouw met een kind achterop. Een oudere man laat zijn hond uit.

Sophie zoekt het huisnummer op, zet de auto stil en stapt uit. Nummer dertig is een vooroorlogs, vriendelijk huis, gebouwd in de tijd dat er nog veel ruimte was. Een brede oprit leidt naar de voordeur. Rechts ziet ze een groot raam van wat vermoedelijk de keuken is. Ze haalt de papieren van de makelaar tevoorschijn en bestudeert ze. Ja, dit is de keuken. Daarnaast is een garage. Ook hier is een oprit, maar die is nauwelijks te zien vanwege de vele coniferen.

De voordeur gaat open. Een kleine, gebogen vrouw wenkt haar. Aarzelend loopt Sophie naar haar toe. Is ze onbescheiden geweest met haar gegluur?

'Zoekt u iets?'

'Ja, ik kreeg dit adres van de makelaar. Neemt u me niet kwalijk, ik had een afspraak moeten maken.'

'Het geeft niet. Bent u op zoek naar een huis?'

'Ja.'

'U mag wel binnenkomen en even rondkijken.'

'Heel graag.'

'Meestal laat ik geen vreemden binnen, maar u vertrouw ik wel.'

Sophie begrijpt dat wantrouwen. Een broze vrouw van naar schatting tachtig jaar. Als ze jonger was, zou ze trouwens ook geen vreemden moeten binnenlaten.

'Dank u wel.'

Via de hal komen ze in een ruime zitkamer met openslaande deuren aan de achterkant van het huis. Sophie ziet een grote tuin die vreselijk verwaarloosd is. Er is ook nog een zijkamer, boordevol meubels.

'Wilt u een kopje koffie?'

'Heerlijk.'

Sophie roert in haar koffie en luistert naar de vrouw des huizes.

'Mijn man is aan het revalideren na een beroerte. Hij gaat goed vooruit. Maar dit huis is niet langer geschikt voor ons.'

Sophie knikt begrijpend.

'We willen in het dorp gaan wonen en hebben daar al een appartement op het oog. Alles is er gelijkvloers, begrijpt u wel.'

Sophie kan er helemaal in komen.

'Maar nu moeten we dit huis nog kwijt. Hoe vindt u het?'

'Het ligt erg mooi. En rustig ook. Deze kamers zijn heerlijk ruim.'

'Bent u getrouwd?'

'Mijn man is vorig jaar overleden.'

'Wat erg. U bent nog zo jong.'

Sophie glimlacht. Gelukkig maar, denkt ze, nu heb ik nog een stukje eigen leven. Tegelijk schaamt ze zich voor deze gedachte. Toch heeft het gevoel van vrijheid de overhand. Als Wilbert nog leefde, zou ze hier niet zitten.

Het huis staat haar wonderwel aan. Hier zou ze kunnen leven.

'Hebt u prettige buren?'

'O ja, hoor. We lopen niet bij elkaar in en uit. Maar in geval van nood staan ze voor je klaar.'

Sophie staat op.

'Bedankt, mevrouw. Ik hoop binnenkort terug te komen, samen met de makelaar en mijn schoondochter.'

Met een voldaan gevoel rijdt ze weg. Nog even bij de andere aanbiedingen in dit dorp kijken. Het eerste huis is al verkocht, zoals het bord in de tuin vermeldt. Het andere heeft een veel kleinere tuin. Op de foto lijkt het heel wat, maar in de praktijk valt het tegen.

's Middags bezoekt ze Janneke. En als ze thuiskomt vertelt ze Marjolein over haar ontdekking van die ochtend.

'Ga je mee een keer kijken?'

189

'Ja, goed. Ik kan vrijdagmiddag. Of zaterdag.'
'Dan bel ik de makelaar.'

Marjolein is enthousiast over het huis. Maar ze houdt zich in.
Want Sophie moet beslissen.
'Het lijkt me heel geschikt.'
Aarzelend kijkt Sophie haar aan.
'Zie ik iets over het hoofd?'
'Hoezo?'
'Zijn er ook nadelen, dingen waar ik later spijt van krijg?'
Marjolein schiet in de lach.
'Ik kan er geen bedenken.'
'Waarom ben je dan zo terughoudend?'
'Omdat jíj er wonen moet, Sophie. Hoe vind jíj het? Dat is
belangrijk.'
Sophie schrikt. Is ze zo afhankelijk van andermans oordeel,
dat ze haar eigen gevoel niet durft te volgen? Heeft Wilbert haar
zo klein gehouden? En waarom heeft ze dat laten gebeuren? Ze
krijgt het er benauwd van.
'Zullen we de tuin in wandelen?'
Heesters en planten zijn alle kanten uit gegroeid. Het onkruid
heeft zijn weg ertussendoor gevonden. Wat een vrijheid, denkt
Sophie. Achter in de tuin staat een groen uitgeslagen bank.
Marjolein gaat er onbekommerd op zitten. Voorzichtig schuift
Sophie naast haar. Van hieruit ziet het huis er betoverend uit. De
openslaande deuren en het terras ervoor zijn een regelrechte uit-
nodiging. De ramen lijken vriendelijke ogen. Er staat een blau-
we regen tegen de muur van de zijkamer.
'En?' vraagt Marjolein.
'Ik vind het een geweldig huis. Hier zou ik graag wonen.'
Marjolein knikt.
'Dit past helemaal bij jou, Sophie.'
'Dus jij vindt het ook mooi?'
'Prachtig. En weet je, ik denk dat de kinderen dit ook een
heerlijke plek zullen vinden.'
Sophie haalt opgelucht adem.
'Dit gaat het worden, Marjolein.'

De volgende dag belt Sophie al naar de makelaar. Na al het zoeken voelt ze opluchting en vreugde dat de knoop is doorgehakt. Dit is een huis waar ze zich helemaal thuis zal voelen.

Janneke mag naar huis. Voor Sophie is dat het sein dat ze naar Rotterdam terug kan. Daar zoekt ze Boukje en Rieuwert op. Ze vertelt hun over haar beslissing en laat foto's zien. Zelfs Rieuwert knikt waarderend.

'En dan iets anders,' zegt Sophie. 'Over twee weken heb ik geboekt in De Wilde Roos. Komen jullie ook een paar dagen, dan kunnen jullie met eigen ogen alles aanschouwen.'

Boukje zegt meteen ja. Rieuwert vraagt zich af of zijn werk het toelaat.

'Mannen doen altijd zo gewichtig,' plaagt Boukje.

'Is mijn werk dan niet belangrijk?' vraagt Rieuwert quasiverontwaardigd. 'Ik moet de belangen van Sophie toch ook behartigen?'

'Maar natuurlijk, Rieuwert,' zegt Sophie, 'dat is je volledig toevertrouwd.'

Rieuwert pakt zijn agenda.

'Ik zal een paar dagen vrijmaken, dames.'

Op een mooie nazomerdag arriveert Sophie in De Wilde Roos. Jessica heet haar welkom.

'U hebt dezelfde kamer.'

'Fijn, Jessica. Dat uitzicht op de tuin is zo mooi. Hoe gaat het hier?'

'We houden de zaak zo goed mogelijk op gang.'

De sfeer in het hotel is ingetogen, merkt Sophie in de dagen die volgen. De kamermeisjes zingen niet in de gangen, de diensters zijn stil en toegewijd. Sophie mist de kinderen met hun vrolijkheid. Op de tweede dag ontmoet ze Lars. Hij is in de tuin, waar hij uitgebloeide bloemen verwijdert en onkruid weghaalt.

Verrast begroet hij haar.

'Mevrouw Koster, wat goed u weer te zien.'

'Insgelijks, Lars. Wat is de tuin mooi. Weer heel anders dan de afgelopen zomer.'

Hij lacht tevreden.

'In ieder seizoen is de tuin mooi. Hebt u de Japanse esdoorn gezien?'

'Ja, die trekt wel de aandacht. Wat een prachtig dieprood.'

'In de achterste tuin staan een paar bijzondere paddenstoelen. Bent u daar al geweest?'

'Nee, ik zal gaan kijken. Jammer dat de kinderen er niet zijn. Paddenstoelen brengen altijd verhalen op gang.'

'Harro zou het wel weten. Die is onuitputtelijk.'

Sophie denkt aan de fijne weken die ze hier heeft beleefd. En aan al die spelende kinderen.

'Hoor je de gouden vogel nog weleens fluiten, Lars?'

Zijn gezicht betrekt.

'Het geluk heeft ons in de steek gelaten. Maar dat wist u al.'

Sophie knikt. Ook voor Lars is dit een moeilijke tijd. De Wilde Roos betekent veel voor hem.

Boukje en Rieuwert zijn er de volgende dag. Achter in de morgen, hebben ze gezegd. Sophie wacht hen op in de hal en is merkwaardig blij hen te zien.

'Wat een mooie plek,' zegt Boukje.

Ze krijgen hun kamer toegewezen, zodat ze zich wat kunnen opknappen. Dan gaan ze met z'n drieën aan de lunch.

's Middags maken ze een lange wandeling door de omgeving. Ze komen bijna niemand tegen.

'Het zou mij te stil zijn,' zegt Boukje.

Sophie vindt die stilte juist heerlijk. Hier komt ze tot zichzelf.

Op de tweede dag rijden ze naar Sophies nieuwe huis. De koop is inmiddels helemaal rond.

'Een prachtig plekje om te wonen,' zegt Boukje hartelijk.

Rieuwert knikt goedkeurend.

'Hier hoop ik jullie in de toekomst regelmatig te ontvangen,' zegt Sophie plechtig.

'Het zal ons een hele eer zijn,' antwoordt Rieuwert in stijl.

Ze rijden door het dorp.

'Het is nog best groot,' vindt Boukje.

'En er is ook wat bedrijvigheid,' vult Rieuwert aan.

Sophie heeft schik. Ze kijken met hun stadse ogen en proberen de positieve kanten te zien aan dit oord, waarheen zij zichzelf verbannen gaat. Heel aandoenlijk.

Als Sophie weer in Rotterdam is, hoort ze van de makelaar dat er een koper is voor haar eigen huis. Er worden formulieren ingevuld en onder het toeziend oog van Rieuwert wordt het koopcontract getekend. Het opruimen en inpakken komt in een hogere versnelling. Gelukkig is Agnes weer tot alles in staat. Ze lijkt de verloren weken in te willen halen. Tussendoor gaat Sophie een paar keer naar de Achterhoek. Het oudere echtpaar is naar het appartement vertrokken, hun kinderen ruimen het huis leeg. Er moet worden schoongemaakt, geschilderd, ingericht. Sophie zoekt de geschikte mensen zo veel mogelijk in het dorp en laat zich door haar nieuwe buren informeren. Haar leven is in een stroomversnelling geraakt en daar voelt ze zich prima bij.

Marjolein leeft op afstand mee.

'De kinderen staan te popelen om je nieuwe huis te komen bekijken,' zegt ze.

Maar de eerste die haar na de verhuizing komt opzoeken, is Robin. Hij heeft zijn gereedschapskist bij zich. Met grote handigheid zet hij kasten in elkaar, controleert deuren en ramen en slaat spijkers en haken in de muur.

Aan het eind van een middag hard werken kijken ze rond. Robin knikt goedkeurend.

'Een heel geschikte woning voor mijn muze.'

'Je hebt me geweldig geholpen, Robin,' zegt Sophie. 'Het is al goeddeels bewoonbaar. De tuin moet nog maar even wachten.'

'Heel verstandig. Je zou eigenlijk moeten kijken wat er in het voorjaar boven de grond komt. Dat is soms zo verrassend.'

Sophie knikt.

'Aan de andere kant popel ik om ermee te beginnen.'

'Je kunt vast plannen maken. Teken een plattegrond en stel je voor hoe je het hebben wilt.'

'Doe ik. Een leuk karweitje wanneer de najaarsstormen woeden.'

'Heel dapper van je,' lacht Robin.

'Hoezo?'

'De plattegrond van een tuin wordt ter plekke getekend. Buiten dus.'

'Goed dat je me waarschuwt. Zullen we na al deze arbeid in De Wilde Roos gaan dineren? Ik trakteer.'

'Ja, goed.'

Pas nu vertelt Sophie hem over het ongeluk dat Daan het leven heeft gekost.

'Redden ze het?' vraagt Robin.

'Ze doen hun best, verder weet ik het niet.'

Maar in ieder geval is er nu een uitstekende kok, denkt ze. De maaltijden waren voortreffelijk toen we er in september logeerden.

Het is rustig in het restaurant. In het hotel logeren duidelijk minder gasten dan in de zomer. Het meisje dat bedient groet hen hartelijk. Het doet Sophie goed, ze zijn hier oude bekenden. Terwijl ze wachten tot hun eten wordt opgediend, vertelt Robin over zijn werk. Op de havezate verloopt alles volgens plan. Hij is door een bedrijf dat tuinen restaureert en ontwerpt, uitgenodigd om mee te werken aan een project. Mogelijk kan hij op den duur partner worden.

'Ga je erop in?'

'Waarschijnlijk wel.'

'Kun je dan in je boerderij blijven wonen?'

'O ja.'

Gelukkig maar, denkt Sophie. Het is zo'n mooie plek. Robin past daar helemaal. Ze is er wezen kijken toen hij er twee weken woonde. Nu ze betrekkelijk dicht bij elkaar wonen, kunnen ze elkaar regelmatig ontmoeten. Zou hij dat willen? Vermoedelijk wel. Hoewel hij ook erg op zijn privacy gesteld is. En zij? Het gaat haar net zo. Krijg je dat soort streken als je wat ouder wordt? Ze glimlacht.

'Mag ik delen in je plezier, Sophie?'

'Ik bedenk hoe kostbaar de eigen plek is voor een mens.'

'En die heb je nu gevonden.'

Het is een constatering, geen vraag.

'Precies. In Rotterdam heb ik me nooit thuis gevoeld.'

'Zoals je ook niet thuis was in je eigen leven.'

Dat is raak. Niemand zou dit zo tegen haar durven zeggen. Robin wel. Hij weet immers hoe het is om jezelf kwijt te zijn en je zo verloren te voelen.

'Vanaf deze zomer ben ik aan het thuiskomen, Robin.'

'Daar ben ik blij om.'

Sinds Tessa weet dat Sophie verhuisd is, zeurt ze Marjolein aan haar hoofd.

'Ik wil naar oma, kijken hoe het nieuwe huis is.'

'Het nieuwe huis staat nog vol dozen die uitgepakt moeten worden.'

'Dan helpen wij toch.'

'Dat lijkt me niet zo handig. Als oma zelf de spullen in de kast zet, dan kan ze ze ook weer terugvinden.'

'Maar ze kan toch zeggen waar ik alles moet neerzetten.'

Marjolein krijgt het niet uitgelegd.

'Het is lief dat je wilt helpen,' zegt ze. 'Vraag zelf maar aan oma wanneer je mag komen.'

'Zal ik haar opbellen?'

'Schrijf liever een brief. En maak er een mooie tekening bij.'

Tessa gaat meteen beginnen.

'Peter, maak jij ook een tekening voor oma?'

'Ik wil naar die opa.'

Marjolein schiet in de lach.

'Ik krijg het nog druk met al die grootouders die hier in de buurt komen wonen.'

'Vind je het dan niet fijn, mama?' vraagt Tessa.

'O ja, ik ben er heel blij mee. Want Rotterdam was nogal ver.'

En niet zo prettig, denkt ze erbij.

'Weet je wat, Peter? Maak jij een tekening voor meneer Harper. Dan schrijf ik er wel bij dat je graag een keer op bezoek komt.'

Enkele dagen later krijgt Tessa een brief terug van haar oma.

Lieve Tessa, het is hier nog een enorme rommel. Maar ik denk
dat je binnenkort vakantie krijgt. Als je wilt kun je dan bij me
logeren. Zou Peter ook mee willen? Of Janneke? Het speelhuis-
je is er nog niet en de schommel ook niet.
Jullie mogen natuurlijk ook gewoon één dag komen. Kusje van
oma.

Marjolein slaat aan het regelen. Peter wil beslist naar Robin.
'Ga je dan de robot brengen?'
'Ja, natuurlijk.'
Marjolein is trots op haar zoon. Hij komt zijn belofte na. De
robot is weliswaar niet meer zo belangrijk als in de afgelopen
zomer, maar toch...
Ze belt met Dorien, ze belt met Robin, ze belt met Sophie.
Op de eerste dag van de herfstvakantie laadt ze haar beide kin-
deren en Tessa's koffertje in de auto. Het is niet ver naar Velp.
Daar haalt ze Janneke op. En vanuit Velp rijdt ze regelrecht naar
Sophie.
De kinderen gaan meteen op ontdekkingstocht door het nieu-
we huis. Sophie en Marjolein wandelen door de benedenverdieping om alles te bekijken. Intussen luisteren ze lachend naar de
opgewonden stemmetjes die van boven komen.
'Nou geloof ik warempel dat ze op de bedden aan het dansen
zijn,' zegt Marjolein.
Ze wil naar boven rennen, maar Sophie zegt laconiek: 'Laat ze
maar even. Als de bedden daar niet tegen kunnen, zal ik ze moeten vervangen.'
'Maak er alsjeblieft geen gewoonte van, Sophie, anders zit ik
straks thuis met de problemen.'
'Dat beloof ik je.'
'Het is hier trouwens erg mooi geworden,' zegt Marjolein.
Ze ziet dat er nieuwe meubels staan. Sophie heeft daadwerke-
lijk afscheid genomen van haar oude leven. Dit huis ademt een
totaal andere sfeer dan de woning in Rotterdam. Marjolein ziet
geen van de schilderijen uit het vorige huis. De beide aquarellen
hebben een geschikte plek gekregen. Een van de muren heeft
nog alle ruimte.

'Wat ga je daar hangen?' vraagt ze en ze denkt aan het schilderij waar Tessa het zo benauwd van kreeg.

'Iets wat Robin gaat schilderen,' zegt Sophie.

Marjolein ziet dat ze een beetje kleurt. Wat zou het betekenen? Plezier? Trots? Of de vreugde dat iemand iets speciaal voor haar maakt?

'Dit past allemaal bij jou,' zegt ze, 'het is helemaal jouw huis.'

'Ik hoop dat jij je er ook thuis zult voelen, Marjolein.'

'Geen twijfel mogelijk.'

'En de kinderen ook.'

Opeens merken ze dat het boven verdacht stil is. Vragend kijken ze elkaar aan.

'Ze doen nu verstoppertje,' concludeert Marjolein. 'Kan dat allemaal?'

'Ga maar eens kijken, dan zie je meteen hoe het boven geworden is. Ik zet de broodmaaltijd klaar.'

Marjolein loopt de trap op en komt Tessa tegen.

'Stil, mama. Peter en Janneke zijn muizen. Ik moet luisteren of ik ze hoor piepen.'

Marjolein luistert mee.

'Geef eens een geluidje,' roept Tessa.

Het blijft stil. Ze sluipen door de kamers en vinden ten slotte de muizen onder het bed van Sophie. Tessa is boos.

'Jullie piepten niet.'

'Welles,' roepen Peter en Janneke.

'Kom mee naar beneden, dan gaan we aan de boterham,' zegt Marjolein.

Ze kijkt rond om te zien of de kinderen er geen al te grote bende van hebben gemaakt. Boven het bed van Sophie hangen de portretjes van Tessa en Peter, keurig ingelijst. Het doet haar goed.

Beneden aan tafel ziet ze hoe Sophie geniet van de kinderen. Met een gerust hart laat ze de meiden achter. Over twee of drie dagen brengt Sophie ze weer terug.

Het is voor Marjolein even zoeken vóór ze het huis van Robin gevonden heeft. Peter loopt zonder aarzelen het pad op, zijn robot in de hand. Marjolein sluit de auto af en komt achter hem aan, zoekend naar een voordeur waar ze kan aanbellen. Maar Peter heeft Robin al ontdekt in de tuin, waar hij met een snoeischaar in de weer is. Met een indianenkreet rent hij op hem af. Marjolein komt op haar gemak achter haar zoon aan. Dus dit is de tuin die op Sophies aquarel te zien is. Zelfs nu alle bloemen zijn uitgebloeid heeft hij iets aardigs.

Robin sluit de snoeischaar en stopt hem in de zak van zijn afgedragen jack.

'Welkom.'

Hij gaat hun voor naar binnen. Op de deel is het rommelig. In één hoek staat een grote tekentafel, die duidelijk in gebruik is. Marjolein ziet stapels kisten en dozen. Peters geduld is op. Hij steekt Robin zijn robot toe.

'Die mag nu bij u komen wonen.'

'Daar is ons vriendje van de afgelopen zomer. Wat een verrassing, Peter. Dank je wel. Gaan jullie zitten, dan haal ik koffie.'

Hij loopt naar een tafel die aan de zijkant van de grote werkruimte staat, naast een van de grote ramen. Daar zet hij de robot neer. Marjolein pakt een stoel. Ze kijkt naar buiten. In de wei naast het huis loopt een pony.

'Kijk eens, Peter, een paardje.'

'Is die van eh… die opa?'

'Vraag het hem maar.'

Robin komt met koffie en gevulde koeken. Voor Peter is er een pakje frisdrank.

'Ik heb in de winkel gevraagd waar kinderen van houden,' biecht Robin op, 'en daar gaven ze me dit.'

'Prima,' zegt Marjolein, vóór Peter kan uitleggen dat hij liever chips heeft. De jongen begint aan zijn fris. Hij staat voor het hoge raam en kijkt naar buiten.

'Eh… eh… is dat paard van u?'

'Nee, maar het weiland wel. De pony logeert er.'

'Mag ik naar hem toe?'

'Dat zou ik maar niet doen. Hij is nogal ondeugend.'

Terwijl Peter naar de pony blijft kijken, informeert Marjolein naar de schilderijen uit het Rotterdamse huis.

'Is er een kans dat ze ooit verkocht worden?'

Robin grijnst.

'Dat weet je maar nooit. Ik geloof niet dat u ervan onder de indruk bent.'

Marjolein schudt haar hoofd.

'Mijn dochter was zelfs bang voor een van die kunstwerken.'

Robins ogen lichten op.

'Aha, dus het drukt toch iets uit. Een kind voelt zoiets soms feilloos aan.'

'Reden te meer om het niet in huis te willen hebben,' zegt Marjolein. Ze hoort zelf dat het nogal snibbig klinkt. 'Wat Sophie nu aan de muur heeft hangen bevalt me beter. Er is trouwens nog een lege plek…'

Ze ziet dat hij verlegen een andere kant uit kijkt en voelt opeens veel sympathie voor hem.

Peter keert zich om en kijkt met een benauwd gezicht naar Robin.

'Eh… eh… ik moet heel nodig.'

'Zie je dat groene deurtje? Daar moet je zijn.'

Peter stapt er dapper op af. Marjolein lacht.

'Hij weet niet goed hoe hij u aan moet spreken, vandaar dat eh.'

'O, juist.'

Weer iets om verlegen over te zijn, denkt Marjolein. Wat een merkwaardige vent is het toch. Iemand met zo veel talenten en vakkennis, die zichzelf voortdurend voor de voeten lijkt te lopen.

'Hoe mag Peter u noemen?'

'Wat wil hij zelf?'

'Meestal zegt hij opa.'

Robin trekt een gezicht. Marjolein troost hem.

'Het heeft niets met leeftijd te maken. Een kind vindt iedereen boven de dertig oud. Een opa is iemand die bij je hoort en die van je houdt.'

'Doe ik dat dan?'

'Ik dacht het wel. Misschien bent u niet gewend om zoiets te laten merken.'

'Daar kon je weleens gelijk aan hebben,' gromt hij.

Marjolein hoort hoe hij opeens tutoyeert.

'En zeg dan meteen Marjolein tegen mij.'

'Heel graag, het zal me een eer zijn.'

Dat is de taal waarmee hij Sophie aanspreekt. Ouderwets, hoffelijk. Een taal waarachter hij zijn gevoelens verstopt. We zullen jou eens tevoorschijn toveren, denkt Marjolein. Sophie, de kinderen en ik. Ze kijkt hem vragend aan.

'En wat mag ik zeggen, meneer Harper?'

Hij lijkt te schrikken.

'O, Robin natuurlijk. Als je dat wilt.'

'Ik zal er wel even aan moeten wennen,' plaagt ze.

Peter is weer terug.

'Wil jij een plekje voor de robot zoeken?' vraagt Robin.

'Hier, in deze kamer?'

'Ja.'

Peter loopt over de deel en bestudeert alles wat hij tegenkomt. Bij de tekentafel staat hij een hele poos te kijken.

'Houdt hij van tekenen?' vraagt Robin.

'Vooral wanneer het technisch is. Auto's, vliegtuigen.'

'Aha, een toekomstig ingenieur.'

'Wie weet.'

'Mama! Daar is oma!' schreeuwt Peter opeens.

Marjolein schiet overeind. Sophie hier? Dan is er iets niet in orde. Ze loopt naar Peter toe en ziet waarom hij zo riep. Op een standaard staat het portret van Sophie, zo fijnzinnig getekend dat ze even de adem inhoudt. Er ligt een zachte glans over het soms wat strenge gezicht, net of ze naar iets wonderbaarlijk moois kijkt. Wat is dit knap. En met wat een liefde is dit getekend.

Robin komt achter hen staan.

'Heel bijzonder,' zegt ze.

'Sophie ís bijzonder.'

'Jij ook, Robin.'

Het lijkt hem diep te raken. Hij keert zich om en gaat gauw een tweede kop koffie inschenken.

Als die op is, zegt Marjolein: 'We moeten naar huis, Peter. Zeg opa Robin maar dag.'

Robin krijgt een spontane kus op zijn stoppelwang.

'Ik zal me beter moeten scheren,' zegt hij.

Marjolein schudt zijn hand.

'Stoppelbaard of niet, het is fijn dat je ook een beetje bij de familie hoort.'

Robin kijkt hen na.

'Een familie,' mompelt hij, 'wie had dat gedacht? En wat voor familie!'

13

Een week na de logeerpartij zit Sophie aan de grote tafel, haar tuinboek opengeslagen voor zich. Het biedt volop inspiratie. De ideeën buitelen over elkaar heen. Daarom pakt ze pen en papier en schrijft op waar ze aandacht aan moet besteden. Als eerste noteert ze het grasveld met het speelhuisje. Aan de rand moeten planten staan die tegen een stootje kunnen, zodat Peter onbekommerd kan voetballen. Verder wil ze een bank bij het grasveld, en op een andere plek nog een zitje. Ook moet ze bedenken waar de kas het beste kan komen. In gedachten ziet ze de betoverende borders met hun harmoniërende kleuren al in haar tuin.

Buiten raast een najaarsstorm. Dat maakt het binnen des te plezieriger. De telefoon verstoort haar tuindroom. Het is Marjolein. Ze valt met de deur in huis.

'Sophie, ik hoor zojuist van Renate dat het niet goed gaat met De Wilde Roos. Ze ziet geen kans om de financiële tekorten aan te vullen. De bank wil de hypotheek niet verhogen. En ze kan ook nergens meer een lening afsluiten. Straks moet ze het hotel nog verkopen.'

Marjolein is niet gauw van haar stuk gebracht. Maar nu is ze helemaal ontdaan. De Wilde Roos is het levenswerk van Daan en Renate. Twintig jaar lang hebben ze al hun tijd en energie erin gestoken.

'Het is zo'n bijzonder hotel,' zegt ze. 'Als het wordt opgekocht door een hotelketen zal al dat bijzondere verdwijnen. En waar moet Renate dan naartoe? Wat gaat er met het personeel gebeuren? Ik weet niet wat ik tegen Renate moet zeggen, het is werkelijk een ramp.'

Sophie voelt met Renate mee. Eerst dat ongeluk met Daan. En nu dreigt het hotel failliet te gaan. Moet ze dan alles verliezen?

'Gelukkig is Vincent bij haar,' zegt Sophie. 'Misschien kunnen ze iets nieuws opbouwen. '

'Vincent moet nog jaren studeren. En zoiets als De Wilde Roos zal het nooit meer worden.'

'Daar ben ik ook bang voor,' beaamt Sophie. 'Het is inderdaad een bijzonder hotel.'

Ze denkt aan de fijne weken die ze er heeft beleefd. En aan de mensen die er helemaal waren voor de gasten. Renate, Jessica. Lars met zijn wijsheid en zijn liefde voor de tuin. Vóór de zomer begon wist ze niet eens dat zoiets bestond. Maar nu is het hotel heel belangrijk voor haar geworden.

'Sorry, Sophie, dat ik je hiermee zo rauw op je dak val.'

'Geeft niet.'

'Wat was je aan het doen?'

'Aan het dromen over de zomer. Ik bestudeer het tuinboek dat ik van je kreeg. En waar was jij mee bezig?'

'Ik ben mijn lessen voor morgen aan het voorbereiden. Dat lukt alleen maar als de kinderen slapen.'

Sophie legt de telefoon neer. Buiten hoort ze de storm tekeergaan. Zo zal het ook voor Renate zijn, denkt ze. Wat zal er nog overeind blijven?

Ze tuurt in haar boek, maar ziet alleen De Wilde Roos, rustiek gelegen in de bossen. Een plek waar ze veel heeft ontvangen. Ze heeft er haar schoondochter leren kennen en de twee kleinkinderen. Tussen haar en Robin is een vriendschap ontstaan waarvan ze niet wist dat zoiets mogelijk was. Nu is het hotel in de storm terechtgekomen. Een gedachte komt in haar naar boven, helder en eenvoudig. Zij kan Renate en alle anderen erdoorheen helpen. Ze is vermogend, al staat ze daar zelden bij stil. Met al het geld dat Wilbert haar heeft nagelaten kan ze nu iets goeds doen. Ze denkt aan de enorme bedragen die Rieuwert haar genoemd heeft. Daar moet ze toch zeker een deel van kunnen gebruiken om het hotel te redden.

Het duurt lang voor ze die avond in slaap valt. Maar de volgende morgen wordt ze fris en welgemoed wakker. Ze belt naar Rotterdam en zegt dat ze iets zakelijks wil bespreken met Rieuwert. Dat blijkt diezelfde middag al te kunnen.

Als Sophie naar het westen rijdt, is de storm gaan liggen. De lucht is schoongeveegd en van een zeldzame helderheid. Die arme Rieuwert, denkt ze, hij zal de schrik van zijn leven krijgen en haar plannen liefst zo gauw mogelijk van tafel vegen. Vindt hij getallen en bedragen belangrijker dan mensen? Niet voor niets heeft ze gevraagd of Boukje bij het gesprek aanwezig wil zijn.

Ze krijgt gelijk. Rieuwert vindt het absurd wat ze wil.

'Alles is toch veilig belegd? Waarom moet dat geld opeens een andere bestemming krijgen?'

'Een klein deel maar.'

'En dat wil je in een bijna failliet hotel stoppen? Straks ben je alles kwijt.'

'Als ik een lening verstrek, kunnen we dat risico natuurlijk vóór zijn. Daar zijn contracten voor.'

'Maar verder? Wat gaat het je opleveren?'

'Meer dan je vermoedt. Niet in geld, maar op een andere manier. Het hotel is waardevol voor me geworden. De mensen ook trouwens. Dat valt niet in geld uit te drukken.'

Boukje zit aandachtig te luisteren. Ze knikt Sophie bemoedigend toe. Maar Rieuwert schudt zijn grijze hoofd.

'Het blijft een riskante onderneming. Dat zou Wilbert nooit goedgevonden hebben.'

Sophie wordt verschrikkelijk boos.

'Moet ik me nog altijd gedragen zoals Wilbert dat beveelt? Telt voor jullie mannen dan alleen het geld? Niet de mensen?'

Rieuwert zwijgt verschrikt. Zo kent hij Sophie niet. Er valt een ongemakkelijke stilte. Boukje vindt de goede toon terug.

'Rieuwert voelt zich verantwoordelijk,' zegt ze.

Hij beaamt dit, duidelijk opgelucht.

'Maar misschien is je verantwoordelijkheidsgevoel iets té groot. Uiteindelijk is Sophie degene die beslist.'

Dat moet hij toegeven.

'Maar ik wil niet dat er dingen fout zullen lopen.'

'Dat begrijp ik, Rieuwert,' zegt Sophie, 'en dat waardeer ik bijzonder. Maar daarom ben ik juist hier.'

'Dus je meent het?'

'Zeker.'

'En nu wil je weten hoe we dat het beste kunnen aanpakken?'

Sophie glimlacht om dat 'we'. Ze knikt.

'Dan eerst maar een kop koffie,' stelt Rieuwert voor. 'Daarna zullen we plannen maken.'

Boukje komt overeind en knipoogt naar Sophie. De spanning is weg. Op hun gemak drinken ze koffie, zonder het onderwerp nog aan te roeren. Dan zet Rieuwert een aantal punten op papier.

'Ten eerste moeten we weten of het hotel echt te redden is. En of het in de toekomst rendabel zal blijven.'

'Daar heb ik over nagedacht,' zegt Sophie. 'We kunnen Wilberts accountant opdracht geven om het bedrijf door te lichten en cijfers te geven plus een prognose voor de toekomst. Als Renate weet dat dit mogelijk een lening oplevert, zal ze onmiddellijk toestemmen.'

Rieuwert knikt waarderend.

'En als het haalbaar blijkt, dan moeten we geld vrij maken,' zegt hij. 'Dat kan door een deel van je effecten te verkopen. Daar moet je te zijner tijd de bank opdracht toe geven.'

'Ja.'

'Als alles door kan gaan, zal ik een overeenkomst voor de lening opstellen. Heb je aan een rentepercentage gedacht?'

'Ik hoef er niet beter van te worden.'

'Juist ja, een bescheiden rente dus.'

Rieuwert is nog steeds niet blij met het plan.

'Als het hotel overeind blijft,' zegt Boukje, 'dan zul je er veel voor terugkrijgen, Sophie.'

'Zo is het.'

Vol gedachten rijdt Sophie die avond naar huis. Ze hoopt vurig dat haar plan zal lukken. Ook voor de kinderen die er deze zomer waren is De Wilde Roos ideaal. Zo veel ruimte om te spelen, zo veel geheimzinnige plekjes. En dan ook nog een gouden vogel die zijn liedje fluit en de kinderen de weg wijst naar het geluk.

Ze is heel voldaan als ze thuiskomt. Op de grote tafel ligt haar tuinboek nog opengeslagen.

De volgende morgen gaat de telefoon. De buurvrouw vraagt of ze een kop koffie komt drinken. Sophie zegt ja. De buurvrouw is sympathiek en heel belangstellend zonder zich op te dringen. Ze tutoyeren elkaar. Wies heet ze. Haar man is vaak weg voor zaken. Zij wil duidelijk contact. Dat is wederzijds, denkt Sophie wanneer ze aanbelt bij het buurhuis.

Binnen hangt een verleidelijke koffiegeur. Ze gaan in de erker zitten.

'Wat een storm hadden we,' zegt Wies. 'Er is een dikke tak afgebroken van die boom daar, ik weet niet hoe hij heet. Heb jij ook zo'n ravage in je tuin?'

'Ja, nogal. Het geeft niet, want de tuin krijgt volgend jaar toch een opknapbeurt.'

'Ja, dat mag weleens. Er is de laatste jaren heel weinig aan gedaan. Zie je er niet vreselijk tegenop?'

'Integendeel,' lacht Sophie, 'ik heb er echt zin in.'

Wies kijkt haar verbaasd aan.

'Ik zou niet weten waar ik beginnen en eindigen moest. Ik rommel altijd maar zo'n beetje aan.'

'Ik maak van tevoren plannen. Er is een tuinarchitect die me adviseert.'

'O, wat slim van je. Zo iemand kan ik ook wel gebruiken. Is hij duur?'

Sophie lacht.

'Geen idee. Hij is een goede vriend, en heeft uit zichzelf aangeboden me terzijde te staan.'

'Zou hij ook naar mijn tuin kunnen kijken?'

'Ik weet niet hoe druk hij het heeft. Maar ik zal het vragen.'

'Nee, wacht daar toch maar mee. Ik wil eerst zien wat hij van jouw tuin maakt.'

'Geen woestijn van tegels en grind, als je daar soms bang voor bent. Mijn ideale tuin heeft veel bloemen en planten. Ik heb thuis een prachtig tuinboek, dat moet je eens gauw komen bekijken. Dan krijgt vanzelf de tuinkoorts je te pakken.'

Wies vertelt iets over de leeskring waar ze lid van is.

'Ik zing ook in het kerkkoor. We studeren een paar christmas carols in. Heel fijn om te doen.'

Met een voldaan gevoel wandelt Sophie naar huis. Zulke contacten had ze niet met haar Rotterdamse buren. Maar hier in het dorp schijnt zoiets vanzelfsprekend te zijn.

Op een mooie najaarsdag in november komt Robin haar opzoeken. Hij heeft beloofd de tuin op te meten. Samen lopen ze langs paden en borders, kruipen onder struiken door en duwen boom-takken opzij. Robin noteert van alles. Als ze klaar zijn bergt hij zijn meetlint en notitieboek in zijn landrover, die op de oprit van de garage geparkeerd staat.

'Ik stuur je een plattegrond toe,' belooft hij.

Het lijkt of hij meteen weer weg wil gaan. Is het bescheiden-heid? Of ligt er thuis werk op hem te wachten?

'Eet je een boterham mee?' vraagt Sophie.

'O, ja graag.'

'Die heb je echt wel verdiend,' lacht ze, terwijl ze aan de buur-vrouw denkt.

'Heb je al wat ideeën ontwikkeld?' vraagt hij.

'Nou, ik denk er natuurlijk wel over na. Deze voortuin bij-voorbeeld bevalt me helemaal niet. Een oprit naar de garage, een oprit naar de voordeur. Al die coniferen. Geen gezellig binnen-komen.'

Hij komt naast haar staan en wijst.

'Die oprit naar de garage moet blijven, maar deze kan eruit. Een smal pad, of stapstenen naar de voordeur is genoeg. De coni-feren kunnen weg. De hele ruimte kun je dan inrichten als een cottagetuin. Dan zou het ruimer lijken en veel vriendelijker. Het is maar een idee.'

'Een goed idee, lijkt me.'

Ze lopen naar de achterkant van het huis.

'Het terras wil ik graag houden,' zegt Sophie, 'maar het zal geëgaliseerd moeten worden. Het gazon is terrein voor de kinde-ren. Voetballen en zo. Ik heb Tessa een speelhuisje beloofd.'

'Aha. Heb je al wat op het oog?'

'Nog niet.'

'Zal ik je een folder sturen? Dan kun je een bouwpakket bestel-len. Ik zet het wel voor je in elkaar.'

'Heel graag. Ik wil hier ook een bankje hebben.'

'Zodat oma van de kleinkinderen kan genieten.'

'Gesnapt. Misschien wil opa Robin dat ook wel.'

'Zeker.'

Sophie ziet dat hij bij haar wegkijkt. Zijn gezicht is opeens gesloten. Heeft ze iets verkeerds gezegd? Wil hij niet zo betrokken raken bij haar familie? Of durft hij zijn genegenheid voor de kinderen niet te laten merken? Ze legt haar hand op zijn arm.

'Kom, laten we naar binnen gaan.'

Robin rijdt naar huis, vol tegenstrijdige gevoelens. Het was fijn bij Sophie. Hij ziet hoe ze zich gesetteld heeft en gelukkig is in haar nieuwe huis. Ze laat duidelijk merken dat hij erbij hoort. Marjolein doet dat ook. Het doet hem goed, het geeft meer zin aan zijn bestaan. Tegelijk kan hij nog maar nauwelijks geloven in deze nieuwe rijkdom. Zullen ze hem straks niet wegduwen uit hun leven? Hij verdient hun vriendschap immers niet. Hij is...

'Hou je mond!'

In zijn woede zegt hij het hardop. Hij slingert het zijn vader in het gezicht.

'Ik bén geen loser. Ik heb mijn werk, ik heb vrienden. En ik heb een muze, die mij inspireert bij het schilderen.'

Het lucht hem op.

'Sophie,' zegt hij, 'Sophie!'

Een week later arriveert de plattegrond, secuur getekend op groot formaat. Sophie laat een paar kopieën maken en begint. Het is moeilijker dan ze dacht. Of ze verliest een mooi doorkijkje, of het beoogde zitje komt niet tot zijn recht. Ofwel de voetbal van Peter zal zomaar door de ruiten van de kas gaan. Ze tekent in de weken die volgen een paar vellen vol. Maar tevreden is ze nog niet. Robin moet er maar eens naar kijken. Dat had hij trouwens beloofd.

Sophie verveelt zich niet. In huis zijn er nog genoeg dingen te doen na de verhuizing. Maar op dagen dat het weer gunstig is rommelt ze in de tuin. Ze verwijdert onkruid en snoeit al te brutale uitlopers van bomen en heesters. Bij een tuincentrum koopt ze plantenbakken en bloembollen. Die kunnen in ieder geval op het terras staan, zodat ze straks de lente ziet vanuit haar woonkamer. Ook binnenshuis zet ze mooie bloeiende planten neer. Het is of ze alle kleuren van de wereld om zich heen wil hebben, na jaren waarin het leven grijs en saai leek.

Het wordt december. Ze rijdt naar Arnhem om het sinterklaasfeest bij Marjolein en de kinderen te vieren. In haar bagageruimte staan twee tassen met cadeautjes en verrassingen. Die heeft ze met bijna kinderlijk plezier bij elkaar gezocht. Zolang ze getrouwd was heeft ze nooit echt Sinterklaas gevierd. Norbert kreeg wel een paar dure cadeaus. Maar een gezellig feest was het nooit. Wilbert haalde er zijn schouders over op. Die onzin, zei hij dan.

Nu rijdt ze over de intussen welbekende weg en betrapt zichzelf erop dat ze zit te zingen. *Vol verwachting klopt ons hart.* Het gaat niet over de cadeautjes die haar wachten. Ze verheugt zich over alle gezelligheid, het samen met familie zijn, de gezichten van de kinderen als ze hun pakjes openmaken.

En ze wordt niet teleurgesteld, het wordt een groot feest.

'Je hebt ze schandalig verwend,' zegt Marjolein wanneer Peter en Tessa eindelijk in bed liggen.

'Je weet niet half hoe fijn ik dat vind,' bekent Sophie terwijl ze papieren en touwtjes bij elkaar zoekt en in een doos doet. 'Ik heb jaren in te halen, dat besef je toch wel.'

'Oké, geldig excuus. Ik vroeg me al af wie het meest genoten heeft van deze avond.'

De volgende dag rijdt Sophie naar huis, nog nagenietend van het feest. December heeft zijn eigen, intieme sfeer. Die ervaart ze in het dorp waar ze nu woont meer dan ooit. Lichtjes branden in de huizen, kerstliedjes klinken eindeloos in de winkels. Wanneer dat haar te veel wordt is ze gauw genoeg weg. In haar eigen huis heerst een weldadige stilte, heel anders dan het kille zwijgen in Rotterdam. Wilbert wilde op eerste kerstdag altijd uit eten gaan, liefst in het duurste restaurant. Hij besprak het een jaar van tevoren. De laatste keer heeft ze zijn reservering moeten annuleren. Wat een vreemde kerstdagen waren dat. Ze liep verloren rond en steunde volledig op de mensen om haar heen. Na een paar weken was er vooral de leegte, de doelloosheid.

Wat is er in het afgelopen jaar veel veranderd. Ze heeft haar leven weer opgepakt en neemt zelf haar besluiten. Ze heeft mensen om zich heen die van haar houden en voor wie ze iets betekent.

Er komt een kerstkaart van Norbert. Hij schrijft naast de voorgedrukte goede wensen dat hij in het voorjaar naar Nederland komt en contact met haar zal opnemen. Sophie ziet ernaar uit. Ze probeert zich een voorstelling van hem te maken. In bijna vijftien jaar kan een mens erg veranderen.

Op tweede kerstdag komt Marjolein met de kinderen. Ze drinken koffie en chocolademelk, en eten broodjes uit de oven. Dan maken ze een lange wandeling. De kinderen spelen en rennen heen en weer. Sophie en Marjolein hebben de tijd om bij te praten. Het is een drukke maand geweest op school, zowel voor Marjolein als voor de kinderen.

'En wat heb jij beleefd, Sophie?'

'Verleden week ben ik naar een uitvoering van christmas carols geweest. Wies, de buurvrouw, had me uitgenodigd. Ze zongen in het oude kerkje, hier in het centrum. Een prachtig gebouw en ze zongen ook heel mooi.'

'Ga je wel vaker naar de kerk?'

'Vanaf mijn trouwen niet meer. Maar ik heb met mijzelf afgesproken dat ik weer eens zal gaan. En jullie?'

'De kinderen hadden een kerstfeest met school. Vraag straks maar, ze hebben het heel mooi gevonden.'

Zwijgend lopen ze verder, genietend van de omgeving. Stukken bos, afgewisseld met landweggetjes langs kale velden. In de verte ligt een oude Saksische boerderij.

'Hoe gaat het met Robin?' vraagt Marjolein.

'Druk aan het werk. Ik heb hem gevraagd of hij langs wilde komen op een van de feestdagen. Maar hij heeft het afgewimpeld.'

'Uit bescheidenheid?'

'Daar kom ik niet achter.'

Sophie schudt haar hoofd. Robin was er heel beslist over.

'Hij zei dat hij een hekel had aan al die feesten. Hij wil wel komen, maar dan om de handen uit de mouwen te steken. We gaan na Nieuwjaar verder met plannen maken voor de tuin.'

De kinderen komen aanstormen.

'Mama, we hebben een hert gezien.'

'Wat geweldig.'

'Hij was helemaal niet bang. Hij keek naar ons en toen liep

hij pas weg.'

'En wij zagen niks,' lacht Marjolein. 'Dom van ons, hoor.'

'Je ziet hier wel vaker reeën,' zegt Sophie. 'Ze zijn helemaal niet schuw.'

Als ze thuiskomen doen ze spelletjes. En natuurlijk willen de kinderen nog even door het huis hollen.

Sophie heeft van tevoren een gemakkelijke maaltijd klaargemaakt. Een ovenschotel en een flinke schaal appelmoes. Als dessert is er ijs, dat iedereen zelf mag versieren.

'Straks willen ze elke dag bij je komen eten,' waarschuwt Marjolein.

'Jullie zijn welkom.'

Met een tevreden gevoel zwaait Sophie hen uit. Neuriënd ruimt ze de kamer op. Ze zet zachte muziek op en kruipt met een boek op de bank.

Vlak voor Nieuwjaar krijgt Sophie bericht van de accountant. Hotel De Wilde Roos draait redelijk goed. Er zou minder personeel kunnen zijn. De pr kan beter. Een deel van de grond zou verkocht kunnen worden, het terrein is nogal groot. Misschien kan er een camping komen. Daar zullen ze naar kijken. Met een redelijke lening erbij, om de schulden te dekken, zou het bedrijf overeind kunnen blijven en in de toekomst een bescheiden winst gaan maken.

Sophie is er helemaal gelukkig van.

Oud en nieuw verloopt rustig. Marjolein heeft logés. Dat is een jaar geleden al afgesproken.

'Je mag gerust komen, Sophie,' heeft ze gezegd.

Maar dat vindt Sophie niet zo'n goed idee.

'Later weer eens. Daags na Nieuwjaar komt Robin en dan gaan we met de tuin verder.'

Die ochtend houdt Sophie zich eerst bezig met de lunch. Waar zou Robin het liefst zitten? In de wat deftige eethoek van de woonkamer of in de keuken? Vermoedelijk kiest hij voor de keuken. Terwijl ze een bouillon klaarmaakt denkt ze aan haar vorige keuken, waar ze ook een keer met Robin heeft zitten eten. Die dag waarop ze langs het strand liepen en naar de zee keken met dat prachtige kleurenspel. De dag waarop hij die verontrustende schilderijen meenam. Wat een opluchting dat ze die kwijt was. Net of er gemene splinters uit haar lijf werden getrokken. Splinters die haar altijd gehinderd hadden.

Eigenlijk is dat typisch iets voor Robin, denkt ze. Hij begrijpt wat haar bezeert en durft het bij name te noemen. Zo ging dat al bij hun allereerste ontmoeting, in de tuin van De Wilde Roos. Ze herinnert zich de prachtige border waar ze naar stonden te kijken. Hij noemde de bloemenpracht een groet uit het paradijs. En hij zag haar verdriet.

Buurvrouw Wies komt langs over de weg. Ze zwaait, en Sophie, van achter haar keukenraam, zwaait terug. Gisteren was ze op de nieuwjaarsborrel bij Wies en haar man. Er kwamen meer buren. Gezellige mensen. Ze vroegen hoe het haar beviel in de nieuwe omgeving. Een van hen vertelde over de tuinclub, waar ze natuurlijk van harte welkom was. Sophie voelt er wel voor.

Het is elf uur. Robin is laat. Ze maakt vast een kop koffie voor zichzelf en gaat ermee aan de grote tafel zitten. Daar liggen haar voorlopige ontwerpen te wachten. Ze kijkt er nog eens naar, maar kan geen nieuwe dingen bedenken waardoor het beter zal worden. Daar heeft ze Robin bij nodig.

De brievenbus kleppert. Ze gaat kijken wat het nieuwe jaar haar brengt. Een paar drukwerken en enkele late kerstgroeten. Op haar gemak kijkt ze het stapeltje door. De telefoon gaat. Robin! denkt ze. Maar het is Marjolein, die informeert of ze oud en nieuw goed is doorgekomen.

'Uitstekend,' zegt Sophie. Ze vertelt over het groeiende contact met de buren. 'En hebben jullie het goed gehad?'

'Ja hoor. Wel druk. De logés zijn zojuist afgereisd. Het hele huis staat op z'n kop. Maar dat was het wel waard.'

Sophie lacht. Marjolein is zo energiek, die heeft de boel in een handomdraai weer in orde.

'Ik heb nog goed nieuws te melden,' zegt Marjolein. 'Renate belde me. Ze zei dat het faillissement waarschijnlijk voorkomen kan worden.'

'Dat is geweldig. Ik gun het haar van harte.'

Sophie lacht. Marjolein weet vast niet welk aandeel zij hierin heeft. En dat hoeft ze ook niet te weten.

Ze praten nog even over de kinderen.

'Ik hoor ze naar beneden komen,' zegt Marjolein. 'Ze willen vast en zeker een boterham. Dag Sophie, we bellen gauw weer.'

Een boterham, denkt Sophie, daar heb ik ook wel trek in. Ze gaat ermee in de keuken zitten en vraagt zich af waar Robin blijft. Zou hij het vergeten zijn? Vast niet, hij komt zijn afspraken altijd stipt na. Misschien is hij ziek. Sophie loopt naar de telefoon en draait zijn nummer. Er wordt niet opgenomen. Dan is hij al op weg, concludeert ze. Binnen een halfuur kan hij er zijn.

Maar na drie kwartier is er nog geen Robin te bekennen. Sophie wordt ongerust. Is er onderweg iets gebeurd? Heeft hij pech met zijn auto? Of, veel erger, heeft hij een aanrijding gehad? Ongedurig loopt ze door het huis. Steeds kijkt ze of zijn landrover nog niet op de oprit staat.

Een vreselijke gedachte bekruipt haar. Al die feestdagen is Robin alleen geweest. Daar koos hij voor. Maar misschien is de eenzaamheid hem te veel geworden. Het zijn voor veel mensen donkere dagen, zo rondom kerst. Kon hij er niet tegenop en heeft hij zijn toevlucht in de alcohol gezocht? In gedachten ziet ze hem in zijn rommelige boerderij zitten, ziek van ellende en vol schaamte omdat hij weer is gezwicht. In dat geval zou het geen wonder zijn dat hij niet naar haar toe durfde te komen, overtuigd van het feit dat zij hem af zou wijzen.

Sophie roept zichzelf tot de orde.

'Schei uit met zulke fantasieën. Robin is heus wel wijzer. Hij heeft zijn leven weer helemaal op de rails.'

Toch blijft ze bezorgd. Er móét iets mis zijn. Nog eens belt ze hem op. Weer wordt er niet opgenomen. Dan neemt ze een besluit. Ze schrijft een kort briefje en plakt dat vast bij de bel. Dan stapt ze in haar auto en gaat op weg.

Het is zacht weer voor januari. De lucht is grijs, maar regen lijkt er niet te komen. Tussen de bomen hangen nevelflarden.

Binnen een halfuur is ze bij Robins boerderij. Ze zet haar auto in de berm en loopt het pad op. De tuin is nog niet winterklaar gemaakt. Vogels vliegen op wanneer ze dichterbij komt. Op het erf is het stil. Maar de deuren van de deel staan halfopen. Ze loopt erheen, toch nog even bang voor wat ze zal aantreffen. In de opening blijft ze staan, stomverbaasd. Aan de andere kant van de deel, waar de hoge ramen het winterlicht binnenlaten, staat Robin achter zijn schildersezel, volledig geconcentreerd op het schilderij vóór hem. Hij mengt wat op zijn palet en brengt de verf met zorg aan. Hij gaat een paar stappen achteruit en bestudeert het effect. Dan schildert hij weer verder. Sophie ziet hoe hij helemaal opgaat in zijn werk en kennelijk alles om zich heen vergeten is.

Een last valt van haar af. Wat een dwaasheid te denken dat hij weer aan het drinken was. Ze schaamt zich dat ze zo weinig vertrouwen in hem had. Heel stil blijft ze staan. Het zou jammer zijn hem nu te storen. En weggaan wil ze ook niet, ze móét kijken hoe hij zich volledig geeft aan zijn schilderen. Wat hij maakt kan ze niet zien. Maar de manier waarop hij bezig is... Soms staat hij iets voorovergebogen voor een klein detail, dan weer mengt hij haastig wat verf op zijn palet en brengt het aan met vlugge, levendige streken. Af en toe wisselt hij van penseel of gebruikt zijn schildersmes om wat verf weg te schrapen.

Er trekt een kramp door haar voet. Ze gaat anders staan. Per ongeluk raakt ze de klink van de deur.

Robin kijkt op. Hij lacht breed.

'Sophie!'

Ze voelt zich betrapt.

'Sorry, Robin, dat ik hier zomaar sta. Ik had moeten zeggen dat ik er was.'

Hij schudt zijn hoofd.

'Maar je was hier al die tijd.'

'Ik ben hier heus nog maar net.'

Opnieuw schudt hij zijn hoofd, als over een dom kind.

'Heel de dag was je hier. Je bent toch mijn muze!'

Opeens begrijpt ze het. Het is of ze een mooi cadeau krijgt. Ze heeft deel aan zijn schilderen. Het doet haar enorm goed. Excuses zijn niet meer nodig.

'Mag ik het zien?'

'Ja, kom maar.'

Hij heeft de zee geschilderd. Het licht van de lage zon veroorzaakt een schitterend kleurenspel in de golven. Sophie is getroffen. Ja, zo was het, een paar maanden geleden toen ze samen over het strand liepen.

'Wat prachtig, Robin.'

'Het is nog niet helemaal klaar. Ik moet er even afstand van nemen. Morgen ga ik verder. Tenminste...'

Het lijkt of hij nu pas terugkomt in het gewone leven.

'Morgen? Dan heb ik een afspraak met jou. We gaan met je tuin aan het werk.'

'Als je wilt schilderen, dan moet je dat vóór laten gaan, Robin. Die tuin kan wel wachten.'

'Neenee, beloofd is beloofd. Maar wacht eens...'

Hij slaat zich voor het hoofd.

'Ik zou vandaag naar jou toe.'

Nu lacht Sophie hartelijk. Hij kan niet meedoen. Zijn gezicht wordt donker, bijna boos.

'Hoe kon ik dat nou vergeten?'

'Dat lijkt me duidelijk,' zegt Sophie, 'de zee riep.'

'Ik had jou op z'n minst moeten bellen.'

'Daarvoor riep de zee kennelijk veel te luid.'

Hij laat zich niet overtuigen.

'Ik ben een lomperik,' mompelt hij.

Sophie pakt hem bij zijn mouw en heeft gelijk verf aan haar hand.

'Toe, Robin, maak het jezelf nou niet zo moeilijk. Iedereen vergeet weleens iets. En kijk nou toch, vandaag heb je zoiets moois gemaakt.'

Aarzelend kijkt hij haar aan.

'Dat je niet boos op me bent.'

'Waarom zou ik? Ik ben heel trots op je. Een muze mag dat wel zeggen, vind ik.'

Dat maakt hem verlegen. Hij slaat zijn ogen neer en ziet de verf die Sophie aan haar hand heeft.

'Pas op dat het niet op je kleren komt.'

Hij pakt een doek en veegt haar hand zo goed mogelijk schoon.

215

Geamuseerd kijkt ze ernaar.

'Zal ik theezetten?' vraagt hij.

'Graag.'

Sophie zit bij de hoge ramen en kijkt uit over het weitje waar de pony loopt. Robin komt uit de keukendeur, een dienblad met twee mokken thee in zijn handen. Abrupt blijft hij staan. Zijn ogen gaan over het tafereeltje voor hem. Sophie aan die oude tafel, het licht vallend over haar handen en over een deel van haar gezicht.

'Zo wil ik je een keer schilderen, Sophie.'

'Hoe?'

'Zoals je daar zit. Wil je dat wel?'

'Eh, ja.'

Hij zet de thee op tafel.

'Of vraag ik nou te veel van je?'

'Nee, hoezo?'

'Dan moet je hier wel een paar keer komen poseren.'

Ze voelt zijn onbehagen. Nog steeds is hij boos op zichzelf. Ze wil niet dat dit tussen hen in blijft staan.

'Maar ik kom graag, Robin. Je weet toch dat ik blij ben met je vriendschap.'

'Ik zou niet zonder mijn muze kunnen, Sophie.'

Later op de middag wandelen ze door de lanen rondom het kasteel. Veel wordt er niet gepraat. Robin voelt een grote voldoening over zijn schilderij. Nog een paar details, dan is het klaar. Hij zal het aan Sophie geven.

En Sophie peinst over hun vriendschap, die is gebaseerd op wederzijds respect. Zoiets heeft ze nog niet eerder meegemaakt. Iedere ontmoeting is weer verrassend.

'Zullen we in De Wilde Roos gaan dineren?' vraagt ze als de boerderij in zicht komt.

'Graag. Ik heb nauwelijks aan eten gedacht,' lacht Robin.

Het is vertrouwd in het hotel. Ze kiezen een feestelijk menu en drinken er heel degelijk appelsap bij. Robin heft zijn glas.

'Een gelukkig en gezond nieuwjaar, Sophie.'

'Jij ook, Robin. Veel creativiteit gewenst.'

Ze klinken samen en kijken elkaar lachend in de ogen.